The Monster's Secret

The Monster's Secret

A Story in Simplified Chinese and Pinyin,
1200 Word Vocabulary Level

Book 11 of the *Journey to the West* Series

Written by Jeff Pepper
Chinese Translation by Xiao Hui Wang

IMAGIN8
PRESS

Published in the United States by Imagin8 Press LLC, Verona, Pennsylvania, US. For information, contact us via email at info@imagin8press.com, or visit www.imagin8press.com.

Our books may be purchased directly in quantity at a reduced price, contact us for details.

Imagin8 Press, the Imagin8 logo and the sail image are all trademarks of Imagin8 Press LLC.

Written by Jeff Pepper
Chinese translation by Xiao Hui Wang

Based on the original 14th century story by Wu Chen'en, and the unabridged translation by Anthony C. Yu

Cover design by Katelyn Pepper and Jeff Pepper
Book design by Jeff Pepper
Artwork by Next Mars Media, Luoyang, China
Audiobook narration by Junyou Chen

ISBN: 978-1952601118

Version 11

ACKNOWLEDGMENTS

We are deeply indebted to the late Anthony C. Yu for his incredible four-volume translation, *The Journey to the West* (1983, revised 2012, University of Chicago Press).

Many thanks to Choo Suan Hee for his help in reviewing the manuscript, and the team at Next Mars Media for their terrific illustrations.

AUDIOBOOK

A complete Chinese language audio version of this book is available free of charge. To access it, go to YouTube.com and search for the Imagin8 Press channel. There you will find free audiobooks for this and all the other books in this series.

You can also visit our website, www.imagin8press.com, to find a direct link to the YouTube audiobook, as well as information about our other books.

PREFACE

This book is based on chapters 27 through 31 of *Journey to The West* (西游记, xī yóu jì), an epic novel written in the 16th Century by Wu Chen'en. *Journey to The West* is loosely based on an actual journey by the Buddhist monk Tangseng (called Xuanzang and Sanzang in earlier books), who traveled from the Chinese city of Chang'an westward to India in 629 A.D. and returned 17 years later with priceless knowledge and texts of Buddhism. Over the course of the book the band of travelers face the 81 tribulations that Tangseng had to endure to attain Buddhahood. Each book in our *Journey to the West* series covers a short section of the original 2,000-page novel.

This is the eleventh book in the series. Once again the holy monk Tangseng and his troublesome disciples arrive at a mountain and run into unexpected trouble with a monster residing there. This time the monster has an interesting backstory, which we don't discover until near the end of the book. The monster also has a wife, which is an unusual twist. And the relationship between the monster and his wife is complex, to put it mildly. Is she the monster's helpless captive as she appears at first? Or is she the monster's shrewd accomplice, playing a complex game? We don't really know until the end of the story, and even then, many aspects of her role in the story are unclear.

The relationships among Tangseng's band of travelers

continue to evolve. The centuries-old monkey king Sun Wukong becomes stronger, wiser, and more confident as the journey continues. The lustful pig-man Zhu Bajie becomes more and more troublesome, encouraging Tangseng to doubt the honesty of his monkey companion and, in this case, actually exile him from the journey altogether. The gentle giant Sha Wujing continues to carry luggage for the party but plays a small part in the story itself, not much more than the white horse who probably has a larger speaking part in this book than Sha!

Just for fun, we've included a few references to basic arithmetic in this book, using the events of the story to cover addition, subtraction and multiplication.

Finally, there is an interesting side-note to the story which we will mention now but which probably won't become clear until you finish the story: In Chinese astronomy the sky is divided into 28 mansions, one for each day of the lunar month. Kui (奎) is the 15th mansion, part of the group of 7 mansions called the White Tiger of the West. Kui represents the Wolf and the element wood.

All of the stories in this series are all written in simple language suitable for intermediate Chinese learners. Our core vocabulary is 1,200 words, made up of the 600 words of HSK-3 plus another 600 or so words that were introduced in the previous books of the series. The entire vocabulary is in the glossary at the back of the book.

Whenever we introduce a new word or phrase, it's defined in a footnote on the page where it first appears, and also appears in the glossary.

In the main body of the book, each page of Chinese characters is matched with a facing page of pinyin. This is unusual for Chinese novels but we feel it's important. By including the pinyin, as well as a full English version and glossary at the end, we hope that every reader, no matter what level of mastery they have of the Chinese language, will be able to understand and enjoy the story we tell here.

Careful readers will notice that the English translation sometimes doesn't exactly match the Chinese. This is because we've tried to express the story in both languages in the most natural style, and sometimes it's just not possible (or desirable) to translate word-for-word from one language to the other.

Please visit our website, www.imagin8press.com, which contains a link to the full (and free) audio recording of this book. You can also sign up to be notified about new books in this series as they become available.

We hope you like this book, and we'd love to hear from you! Write us at info@imagin8press.com.

Jeff Pepper and Xiao Hui Wang
Pittsburgh, Pennsylvania, USA
June 2020

The Monster's Secret

妖怪的秘密

Yāoguài De Mìmì

Wǒ qīn'ài de háizi, jīntiān wǎnshàng wǒ yào gěi nǐ jiǎng guānyú Tángsēng, tā de sān gè túdì hé tāmen xīyóu de lìng yígè gùshì.

Tāmen cóng Zhōngguó dào yìndù de lǚtú fēicháng nán. Tāmen yǐjīng zài dà sīchóu lùshàng xiàng xī zǒu le jǐ gè yuè. Tāmen hěn lěng, hěn lèi, hěn è, xìngzi yě biàn dé yǒudiǎn huài le.

Yǒuyìtiān, tāmen lái dào le yízuò yǒu yídàpiàn sēnlín de gāoshān. Tāmen dōu táitóu kànzhe nà zuò shān. Shāndǐng gāo dào yún zhōng. Zài sēnlín lǐ, tāmen kěyǐ kàndào xǔduō dòngwù. Sūn Wùkōng kàndào Tángsēng hàipà dòngwù, tā jiù dàshēng hǎnjiào, dòngwù dōu táozǒu le.

Tāmen yìzhí zǒuzhe. Nàtiān wǎnxiē shíhòu, tāmen dào le shāndǐng. Tángsēng duì Sūn Wùkōng shuō: "Wǒ hěn lèi hěn è. Bāng wǒmen qù yào yìxiē sùshí."

妖怪的秘密

我亲爱的孩子，今天晚上我要给你讲关于<u>唐僧</u>，他的三个徒弟和他们西游的另一个故事。

他们从<u>中国</u>到<u>印度</u>的旅途非常难。他们已经在大丝绸路上向西走了几个月。他们很冷，很累，很饿，性子也变得有点坏了。

有一天，他们来到了一座有一大片森林的高山。他们都抬头看着那座山。山顶高到云中。在森林里，他们可以看到许多动物。<u>孙悟空</u>看到<u>唐僧</u>害怕动物，他就大声喊叫，动物都逃走了。

他们一直走着。那天晚些时候，他们到了山顶。<u>唐僧</u>对<u>孙悟空</u>说："我很累很饿。帮我们去要一些素食。"

Sūn Wùkōng kànzhe tā shuō: "Shīfu, nín búshì hěn cōngming. Wǒmen zài shāndǐng shàng, lí cūnzi hěn yuǎn. Méiyǒu jiǔdiàn, méiyǒu rén. Wǒ zěnme néng dédào shíwù?"

"Nǐ zhè zhǐ máfan de hóuzi!" Tángsēng huídá. "Nǐ bú jìdé nǐ zài shānxià de wǔbǎi nián ma? Shuí bāngzhù nǐ líkāi le nàlǐ? Shì wǒ! Xiànzài nǐ shì wǒ de túdì, nǐ de shēngmìng shì wǒ de. Dànshì nǐ yīdiǎn yě bùxiǎng wèi wǒmen qù ná xiē shíwù. Nǐ yìdiǎn dōu bù bāngzhù wǒmen!"

"Wǒ shì bāng nín de. Wǒ měitiān dōu zài nǔlì de wèi nín gōngzuò."

"Nà jiù qù gěi wǒmen ná xiē shíwù. Wǒ hěn lèi, yě hěn è. Érqiě zhè zuò shānshàng de kōngqì yě bù hǎo. Wǒ kāishǐ gǎndào yǒudiǎn bù shūfú. Xiànzài jiù qù ba!"

"Shīfu, qǐng búyào shēngqì. Cóng mǎshàng xiàlái, zuò xià xiūxi yīhuǐ'er ba. Wǒ huì zhǎo rén gěi wǒmen yìxiē hǎo de shíwù." Sūn Wùkōng tiào dào yún shàng. Tā bǎshǒu fàng zài xiàng zuànshí yíyàng de yǎnjīng shàng

孙悟空看着他说："师父，您不是很聪明。我们在山顶上，离村子很远。没有酒店，没有人。我怎么能得到食物？"

"你这只麻烦的猴子！"唐僧回答。"你不记得你在山下的五百年吗？谁帮助你离开了那里？是我！现在你是我的徒弟，你的生命是我的。但是你一点也不想为我们去拿些食物。你一点都不帮助我们！"

"我是帮您的。我每天都在努力地为您工作。"

"那就去给我们拿些食物。我很累，也很饿。而且这座山上的空气也不好。我开始感到有点不舒服。现在就去吧！"

"师父，请不要生气。从马上下来，坐下休息一会儿吧。我会找人给我们一些好的食物。"孙悟空跳到云上。他把手放在像钻石

yíyàng de yǎnjīng shàng, xiàng sì gè fāngxiàng kàn. Tā kàndào le xǔduō shùmù hé xǔduō dòngwù, dàn méiyǒu rén yě méiyǒu fángzi. Dànshì zài hěn yuǎn de nánfāng, tā kàndào dìshàng yǒu yìdiǎndiǎn hóngsè.

Tā huí dào Tángsēng nàlǐ shuō: "Shīfu, zhè fùjìn méiyǒu rén. Dànshì zài nánfāng, wǒ kàndào yìxiē hóngsè. Wǒ juédé nàli yǒu yìxiē chéngshú de táozi. Wǒ qù bǎ tāmen ná lái." Tā yí gè Jīndǒu Yún fēi qù nàlǐ zhāi táozi.

Wǒ de háizi, nǐ zhīdào nà jù lǎohuà: "Gāoshān li zǒngshì huì yǒu yāoguài de". Wǒ gěi nǐ jiǎng le hěnduō gùshì, jīngcháng dōu shì yǒu yí gè yāoguài zài shān li. Hǎo ba, zhège gùshì méishénme bùtóng! Zhēn de yǒu yí gè yāoguài shēnghuó zài zhè zuò shānshàng. Yāoguài zài yún zhōng fēi de shíhòu, tā kàn dào Sūn Wùkōng zhèng fēi xiàng nánfāng. Ránhòu tā xiàng xià kàn, kàndào Tángsēng zuò zài dìshàng. Tā hěn gāoxìng jiàndào tā! Tā duì zìjǐ shuō: "Wǒ tīng shuōguò dōngfāng yǒu yí wèi Tángsēng qù xītiān de gùshi. Wǒ tīng shuō chī le tā de ròu huì chángshēng. Xiànzài wǒ jiàndào tā le, yí gè

一样的眼睛上，向四个方向看。他看到了许多树木和许多动物，但没有人也没有房子。但是在很远的南方，他看到地上有一点点红色。

他回到唐僧那里说："师父，这附近没有人。但是在南方，我看到一些红色。我觉得那里有一些成熟的桃子。我去把它们拿来。"他一个筋斗云飞去那里摘桃子。

我的孩子，你知道那句老话："高山里总是会有妖怪的"。我给你讲了很多故事，经常都是有一个妖怪在山里。好吧，这个故事没什么不同！真的有一个妖怪生活在这座山上。妖怪在云中飞的时候，她看到孙悟空正飞向南方。然后她向下看，看到唐僧坐在地上。她很高兴见到他！她对自己说："我听说过东方有一位唐僧去西天的故事。我听说吃了他的肉会长生。现在我见到他了，一个

rén zuò zài wǒ de shānshàng!"

Dànshì dāng tā zǒu jìn shí, tā kàndào liǎng míng qiángdà de zhànshì zhàn zài Tángsēng fùjìn bǎohùzhe tā. Dāngrán, zhè shì Tángsēng de liǎng gè túdì, zhū rén Zhū Bājiè hé dà gèzi Shā Wùjìng. Tā yǒudiǎn pà zhè liǎng gè rén, suǒyǐ tā biàn chéng le yí gè měilì de niánqīng nǚrén. Tā de liǎn xiàng yuèliang, yǎnjīng xiàng xīng yíyàng míngliàng. Tā méiyǒu chuān xié, chuānzhe sīchóu cháng yī. Shǒu lǐ názhe yí gè xiǎo lán guō.

Tángsēng zhèngzài dìshàng xiūxi de shíhòu, jiàndào yí gè niánqīng nǚrén. Tā hǎndào: "Zhū, Shā, wǒ tīng Sūn Wùkōng shuō zhège dìfāng méiyǒu rén. Dànshì wǒ kàndào yǒu rén xiàng wǒmen zǒu lái."

Sūn Wùkōng búzài de shíhòu, Zhū Bājiè zài túdì zhōng jiùshì zuìdà de. Tā duì Tángsēng shuō: "Shīfu, nín hé shā zuò zài zhèlǐ. Ràng zhège lǎo zhū qù kànkan."

人坐在我的山上！”

但是当她走近时，她看到两名强大的战士站在唐僧附近保护着他。当然，这是唐僧的两个徒弟，猪人猪八戒和大个子[1]沙悟净。她有点怕这两个人，所以她变成了一个美丽的年轻女人。她的脸像月亮，眼睛像星一样明亮。她没有穿鞋，穿着丝绸长衣。手里拿着一个小蓝锅。

唐僧正在地上休息的时候，见到一个年轻女人。他喊道："猪，沙，我听孙悟空说这个地方没有人。但是我看到有人向我们走来。"

孙悟空不在的时候，猪八戒在徒弟中就是最大的。他对唐僧说："师父，您和沙坐在这里。让这个老猪去看看。"

---

[1] 个子　gèzi – height, build (human)

她的脸像月亮，
眼睛像星一样明亮。

Tā de liǎn xiàng yuèliang,
yǎnjīng xiàng xīng yíyàng míngliàng.

**Her face was like the moon,
and her eyes were as bright as stars.**

Zhū zǒu guòqù duì tā shuō: "Fù rén, nǐ yào qù nǎlǐ? Nǐ shǒu lǐ názhe shénme?"

"Lǎorén, zhège guō lǐ, yǒu yìxiē hěn hào chī de mǐfàn. Wǒ xiǎng bǎ tā sòng gěi nǐ hé qítā de sēngrén."

Zhū hěn gāoxìng tīngdào zhèxiē huà, yīnwèi tā zǒngshì hěn è. Suǒyǐ tā pǎo huí Tángsēng nàlǐ, dà hǎn: "Shīfu, wǒmen búyòng zài è le. Búyào děng Sūn Wùkōng de táozi le. Rúguǒ tā huì huílái, yě huì shì hěn cháng de shíjiān. Érqiě, rúguǒ chī tài duō táozi, nín huì shēngbìng de. Zhège měilì de nǚrén wèi wǒmen zhǔnbèi le yìxiē hǎo chī de mǐfàn."

Tángsēng hé Zhū qù jiàn nàgè nǚrén. Dāngrán, tā zhēn de shì yí gè yāoguài, dànshì Tángsēng hé Zhū fēicháng è, suǒyǐ tāmen méiyǒu kàndào zhège. Tāmen zhǐ kàndào yí gè nǚrén. "Fù rén," Tángsēng shuō, "nǐ zhù zài nǎlǐ? Nǐ de jiārén ne? Wèishéme nǐ yào lái zhèlǐ gěi hěn è de sēngrén sòng fàn?"

猪走过去对她说："妇人，你要去哪里？你手里拿着什么？"

"老人，这个锅里，有一些很好吃的米饭。我想把它送给你和其他的僧人。"

猪很高兴听到这些话，因为他总是很饿。所以他跑回唐僧那里，大喊："师父，我们不用再饿了。不要等孙悟空的桃子了。如果他会回来，也会是很长的时间。而且，如果吃太多桃子，您会生病的。这个美丽的女人为我们准备了一些好吃的米饭。"

唐僧和猪去见那个女人。当然，她真的是一个妖怪，但是唐僧和猪非常饿，所以他们没有看到这个。他们只看到一个女人。"妇人，"唐僧说，"你住在哪里？你的家人呢？为什么你要来这里给很饿的僧人送饭？"

"Shīfu," tā shuō, "nǐ zài Báihǔ shānshàng. Wǒ hé bàba, māma hé zhàngfu zhù zài fùjìn. Wǒ de bàba māma méiyǒu érzi, tāmen zhǐyǒu wǒ yí gè nǚ'ér. Tāmen xīwàng wǒ jiéhūn, dànshì tāmen yě xīwàng dāng tāmen lǎo le, yǒurén kěyǐ zhàogù tāmen. Suǒyǐ tāmen wèi wǒ zhǎo le yí gè zhàngfu, qǐng tā lái zhù zài wǒmen de fángzi lǐ."

"Fù rén," Tángsēng shuō, "rúguǒ nǐ de huà shì zhēn de, nàme nǐ de zhàngfu yīnggāi qù wàimiàn, gěi héshàng sòng fàn. Nǐ bù yīnggāi yí gè rén chūqù."

Nà nǚrén xiàozhe huídá: "Shīfu, nǐ shuōdéduì. Dànshì jīntiān, wǒ zhàngfu hé tā de jǐ gè gōngrén men zài shān de běibiān gōngzuò. Wǒ wèi tāmen zuò zhōngwǔ fàn. Chúle wǒ hé wǒ de bàba māma, méi rén zài jiālǐ, dànshì tāmen lǎo le. Suǒyǐ wǒ bìxū zìjǐ sòng shíwù. Dàn xiànzài, wǒ yùdào le nǐmen, wǒ xiǎng bǎ yìxiē mǐfàn sòng gěi nǐ hé qítā de sēngrén."

"A, xièxiè nǐ, dàn wǒ bùnéng chī zhèxiē shíwù. Rúguǒ

"师父，"她说："你在白虎山上。我和爸爸、妈妈和丈夫住在附近。我的爸爸妈妈没有儿子，他们只有我一个女儿。他们希望我结婚，但是他们也希望当他们老了，有人可以照顾他们。所以他们为我找了一个丈夫，请他来住在我们的房子里。"

"妇人，"唐僧说，"如果你的话是真的，那么你的丈夫应该去外面，给和尚送饭。你不应该一个人出去。"

那女人笑着回答："师父，你说得对。但是今天，我丈夫和他的几个工人们在山的北边工作。我为他们做中午饭。除了我和我的爸爸妈妈，没人在家里，但是他们老了。所以我必须自己送食物。但现在，我遇到了你们，我想把一些米饭送给你和其他的僧人。"

"啊，谢谢你，但我不能吃这些食物。如果

wǒ chī le nǐ zhàngfu de mǐfàn, tā huì zěnme shuō? Tā
huì mà nǐ de. Zhège kělián de héshàng bùnéng
chéngwéi nàyàng de rén!"

Niánqīng nǚrén zài yí cì xiǎng bǎ mǐfàn sòng gěi
Tángsēng, dànshì, Tángsēng zài yí cì shuō bu yào. Zhū
fēicháng è le, tā duì zìjǐ shuō: "Shìjiè shàng yǒu
hěnduō héshàng, dànshì méiyǒu yí gè xiàng wǒ shīfu
nàyàng, méiyǒu zìjǐ qīngchǔ de xiǎngfǎ! Zhè shì mǐfàn,
mǎshàng kěyǐ chī. Dàn shīfu bú huì chī. Tā xiǎng děng
nà zhǐ máfan de hóuzǐ huílái. Ránhòu, bìxū bǎ mǐfàn
fēn sì fèn, yīnwèi wǒmen huì duō yì zhāng zuǐ chīfàn."

Jiù zài zhège shíhòu, Sūn Wùkōng huílái le. Tā cóng
tiānshàng fēiguò, yì zhī shǒu názhe yí dài táozi, lìng yì
zhī shǒu názhe tā de Jīn Gū Bàng. Tā xiàng xià kàn,
kàndào le nàgè niánqīng nǚrén. Tā mǎshàng zhīdào tā
shì yí gè yāoguài. Tā zhǔnbèi yòng tā de bàng dǎ tā.
Dànshì Tángsēng zǔzhǐ le tā, shuō: "Hóuzi, nǐ
wèishéme yào dǎ zhège měilì de niánqīng nǚrén? Tā
zhǐshì xiǎng bāngzhù wǒmen!"

我吃了你丈夫的米饭，他会怎么说？他会骂你的。这个可怜的和尚不能成为那样的人！"

年轻女人再一次想把米饭送给唐僧，但是，唐僧再一次说不要。猪非常饿了，他对自己说："世界上有很多和尚，但是没有一个像我师父那样，没有自己清楚的想法！这是米饭，马上可以吃。但师父不会吃。他想等那只麻烦的猴子回来。然后，必须把米饭分四份，因为我们会多一张嘴吃饭。"

就在这个时候，孙悟空回来了。他从天上飞过，一只手拿着一袋桃子，另一只手拿着他的金箍棒。他向下看，看到了那个年轻女人。他马上知道她是一个妖怪。他准备用他的棒打她。但是唐僧阻止了他，说："猴子，你为什么要打这个美丽的年轻女人？她只是想帮助我们！"

"Shīfu," tā shuō: "guòqù nín kàn dé hěn qīngchǔ, dànshì jīntiān nín yǒu yǎnjīng, dàn kàn bújiàn. Hěnjiǔ yǐqián, dāng wǒ shì Huāguǒ shān de wáng de shíhòu, wǒ zuò de shì hé zhège yāoguài xiànzài zuò de shì shì yíyàng de. Rúguǒ wǒ è le, xiǎng chī rénròu, wǒ jiù huì biàn chéng yí gè měilì de nǚrén, huòzhě yí gè lǎorén, huòzhě yí gè hē zuì de rén. Rúguǒ yǒurén hěn bèn, méiyǒu kàndào wǒ zhēn de yàngzi, wǒ huì qǐng tā lái wǒ de dòng lǐ. Ránhòu wǒ huì bǎ tāmen zuò chéng fàn, chīle!"

Tángsēng bù xiāngxìn zhèxiē huà. Tā bù xiāngxìn nàgè měilì de nǚrén zhēn de shì yí gè yāoguài. Suǒyǐ, Sūn Wùkōng shuō: "Shīfu, wǒ míngbai. Wǒ juédé nín xiǎng yào zhège nǚrén. Rúguǒ shì zhèyàng, nà jiù méi wèntí. Wǒmen sān gè túdì kěyǐ wèi nǐmen liǎng gè zào yízuò xiǎo fángzi, nǐmen kěyǐ zài yìqǐ, méi rén huì kàndào nǐmen de. Nǐmen dōu bù xūyào xiān jiéhūn! Ránhòu, dāng nǐmen jiéshù hòu, wǒmen kěyǐ jìxù wǒmen de xīyóu."

Tángsēng de liǎn biàn hóng le, tā zhāng kāi zuǐ, dàn tā shénme yě shuō

"师父，"他说："过去您看得很清楚，但是今天您有眼睛，但看不见。很久以前，当我是花果山的王的时候，我做的事和这个妖怪现在做的事是一样的。如果我饿了，想吃人肉，我就会变成一个美丽的女人，或者一个老人，或者一个喝醉的人。如果有人很笨，没有看到我真的样子，我会请他来我的洞里。然后我会把他们做成饭，吃了！"

唐僧不相信这些话。他不相信那个美丽的女人真的是一个妖怪。所以，孙悟空说："师父，我明白。我觉得您想要这个女人。如果是这样，那就没问题。我们三个徒弟可以为你们两个造一座小房子，你们可以在一起，没人会看到你们的。你们都不需要先结婚！然后，当你们结束后，我们可以继续我们的西游。"

唐僧的脸变红了，他张开嘴，但他什么也说

bù chūlái. Tā zhǐshì zhànzhe, kànzhe Sūn Wùkōng. Sūn Wùkōng yòng tā de Jīn Gū Bàng dǎ yāoguài de tóu. Dànshì yāoguài yòng le 'líkāi shītǐ' de mófǎ. Tā de línghún hěn kuài fēi xiàng tiānshàng, méi rén néng kànjiàn tā, tā zài dìshàng liú xià le tā de shītǐ, sǐle.

Tángsēng shuō: "Hóuzi, nǐ shénme dōu bù zhīdào, jiù shā le nàgè rén."

"Shīfu, nín lái kàn, kànkan nàgè guō li yǒu shéme." Tā dǎkāi guō, tāmen dōu xiàng lǐmiàn kàn. Guō lǐ méiyǒu mǐfàn. Nàlǐ zhǐyǒu hěnduō dà chóngzi.

Tángsēng hěn chījīng, tā xiǎng Sūn Wùkōng kěnéng shì duì de. Dànshì Zhū zài yí cì zhǎo máfan. Tā duì Tángsēng shuō: "Shīfu, zhège nǚrén zhǐshì xiǎng bāngzhù wǒmen. Dànshì hóuzi jiù xiàng yǐqián yíyàng zǒng shì shēngqì, yòng tā de bàng dǎ rén. Jiù zhèyàng tā shā sǐ le nàgè nǚrén. Ránhòu, tā bǎ tā hǎo chī de mǐfàn biàn chéng le chóngzi. Tā wèishéme nàyàng zuò? Yīnwèi nàyàng nín jiù

不出来。他只是站着，看着孙悟空。孙悟空用他的金箍棒打妖怪的头。但是妖怪用了'离开尸体'的魔法。她的灵魂很快飞向天上，没人能看见她，她在地上留下了她的尸体，死了。

唐僧说："猴子，你什么都不知道，就杀了那个人。"

"师父，您来看，看看那个锅里有什么。"他打开锅，他们都向里面看。锅里没有米饭。那里只有很多大虫子。

唐僧很吃惊，他想孙悟空可能是对的。但是猪再一次找麻烦。他对唐僧说："师父，这个女人只是想帮助我们。但是猴子就像以前一样总是生气，用他的棒打人。就这样他杀死了那个女人。然后，他把她好吃的米饭变成了虫子。他为什么那样做？因为那样您就

bú huì duì tā yòng 'jǐn tóu dài mó yǔ'!"

Tángsēng xiāngxìn le Zhū de huà. Tā mǎshàng jiù yòng
le 'jǐn tóu dài mó yǔ', Sūn Wùkōng tóu shàng de mó
tóu dài biàn jǐn le. Tā de tóu kāishǐ hěn tòng. "Wǒ de
tóu! Wǒ de tóu!" tā kū le.

"Hóuzi, nǐ bìxū duì měi gè rén dōu hǎo. Búyào
shānghài rèn hé shēngwù! Nǐ shā le zhège měilì de
nǚrén, suǒyǐ nǐ bùnéng hé wǒmen zài yìqǐ. Huí nǐ de
jiā. Wǒ búyào nǐ zhège túdì. Líkāi wǒmen!"

"Shīfu, rúguǒ wǒ búzài zhèlǐ bǎohù nín, nín zǒu bú dào
xītiān!"

"Wǒ de shēngmìng zài tiāngōng de shǒuzhōng. Rúguǒ
wǒ bìxū chéngwéi yāoguài de shíwù, nà yě méiguānxì.
Xiànzài, zǒu ba."

"Dànshì wǒ bùnéng líkāi nín. Nín jiùguò wǒ de
shēngmìng, wǒ

不会对他用'紧头带魔语'！"

<u>唐僧</u>相信了<u>猪</u>的话。他马上就用了'紧头带魔语'，<u>孙悟空</u>头上的魔头带变紧了。他的头开始很痛。"我的头！我的头！"他哭了。

"猴子，你必须对每个人都好。不要伤害任何生物！你杀了这个美丽的女人，所以你不能和我们在一起。回你的家。我不要你这个徒弟。离开我们！"

"师父，如果我不在这里保护您，您走不到西天！"

"我的生命在天宫的手中。如果我必须成为妖怪的食物，那也没关系。现在，走吧。"

"但是我不能离开您。您救²过我的生命，我

---
² 救　　jiù – to save, to rescue

bìxū yòng wǒ de shēngmìng lái bǎohù nín. Wǒ bùnéng ràng nín yǒu wéixiǎn." Dāng Tángsēng tīngdào zhèxiē huà de shíhòu, biàn le zhǔyì. Tā gàosù Sūn Wùkōng, tā kěyǐ liú xià.

Yāoguài zuò zài yún zhōng, tīngzhe Tángsēng hé Sūn Wùkōng shuōhuà. Tā hěn shēngqì. Tā zhīdào, rúguǒ héshàng chī le yìdiǎn fàn, tā jiù kěyǐ bǎ tā dài huí shāndòng, chī le tā. Dànshì Sūn Wùkōng zǔzhǐ le tā. "Nà zhī hóuzi bǐ wǒ xiǎng de gèng qiángdà, gèng cōngmíng." Tā duì zìjǐ shuō, "wǒ bìxū huíqù zài shì yí cì."

Suǒyǐ tā yòu biàn le. Zhè cì tā biàn chéng le yí gè bāshí suì de nǚrén. Tā mànman de zǒuguò sēnlín, lái dào le Tángsēng hé tā de túdì nàlǐ. Tángsēng, zhū Bājiè hé Shā Wùjìng dōu kànzhe tā, tāmen kànjiàn le yí gè lǎo fù rén. Dànshì Sūn Wùkōng zhīdào tā shì tóng yí gè yāoguài. Suǒyǐ tā shénme yě méiyǒu shuō. Tā zhǐshì zài yí cì yòng le tā de bàng, dǎ nàgè lǎo fù rén de tóu. Yāoguài zài yí cì yòng le 'líkāi shītǐ' de mófǎ. Tā de línghún fēi xiàng kōngzhōng, lǎo fù rén de shītǐ liú zài dì

必须用我的生命来保护您。我不能让您有危险。"当唐僧听到这些话的时候，变了主意。他告诉孙悟空，他可以留下。

妖怪坐在云中，听着唐僧和孙悟空说话。她很生气。她知道，如果和尚吃了一点饭，她就可以把他带回山洞，吃了他。但是孙悟空阻止了她。"那只猴子比我想的更强大，更聪明。"她对自己说，"我必须回去再试一次。"

所以她又变了。这次她变成了一个八十岁的女人。她慢慢地走过森林，来到了唐僧和他的徒弟那里。唐僧，猪八戒和沙悟净都看着她，他们看见了一个老妇人。但是孙悟空知道她是同一个妖怪。所以他什么也没有说。他只是再一次用了他的棒，打那个老妇人的头。妖怪再一次用了'离开尸体'的魔法。她的灵魂飞向空中，老妇人的尸体留在地

妖怪再一次用了'离开尸体'的
魔法。

Yāoguài zài yí cì yòng le 'líkāi shītǐ' de mófǎ.

The monster used the 'releasing the corpse' magic again.

shàng, sǐle.

Tángsēng kàndào le, tā fēicháng shēngqì, duì Sūn Wùkōng shuōbùchū rènhé huà. Tā cóng mǎshàng dǎo zài dìshàng. Dāng tā zài dìshàng de shíhòu, tā shuō le èrshí cì "jǐn tóu dài mó yǔ". Sūn Wùkōng tóu shàng de mó tóu dài biàn dé fēicháng jǐn, ràng tā de tóu xiàng yì zhǐ húlu. Tā fēicháng tòngkǔ. "Bié shuō le, shīfu," tā kū le, "jiù shuōshuo nín xiǎng yào duì wǒ shuō de huà."

"Wǒ néng shuō shénme? Wǒ shìzhe jiāo nǐ, dànshì nǐ bù tīng. Nǐ zhǐ xiǎng shānghài rén. Jīntiān, nǐ yǐjīng shā sǐ le liǎng gè rén. Wǒ bùnéng zài ràng nǐ zuò wǒ de túdì le. Nǐ bìxū líkāi."

"Shīfu, hěnjiǔ yǐqián, wǒ zhù zài Huāguǒ shān shàng. Wǒ shì sì wàn qīqiān zhǐ xiǎo hóuzi hé qīshí'èr gè shāndòng de yāoguài wáng. Dànshì hòulái wǒ yùdào le nín, wǒ chéngwéi le nín de túdì. Wǒ bǎ zhège tóu dài dài zài tóu shàng. Rúguǒ nín yào wǒ lí

上，死了。

唐僧看到了，他非常生气，对孙悟空说不出任何话。他从马上倒在地上。当他在地上的时候，他说了二十次"紧头带魔语"。孙悟空头上的魔头带变得非常紧，让他的头像一只葫芦。他非常痛苦。"别说了，师父，"他哭了，"就说说您想要对我说的话。"

"我能说什么？我试着教你，但是你不听。你只想伤害人。今天，你已经杀死了两个人。我不能再让你做我的徒弟了。你必须离开。"

"师父，很久以前，我住在花果山上。我是四万七千只小猴子和七十二个山洞的妖怪王。但是后来我遇到了您，我成为了您的徒弟。我把这个头带戴在头上。如果您要我离

kāi, wǒ huì líkāi. Dànshì, qǐng nín shuō 'sōng tóu dài mó yǔ,' zhèyàng wǒ jiù kěyǐ tuō le tóu dài, zài huí jiā."

"Hóuzi, wǒ cóng Guānyīn fózǔ nàlǐ xué le 'jǐn tóu dài mó yǔ'. Tā méiyǒu jiāo wǒ 'sōng tóu dài mó yǔ'. Wǒ bùnéng bāng nǐ tuō le tóu dài."

"Nàme nín bìxū ràng wǒ zuò nín de túdì."

"Hǎo de," Tángsēng tóngyì. "Dànshì nǐ yídìng bùnéng zài shānghài rènhé rén."

Sūn Wùkōng bāngzhù Tángsēng shàng le mǎ, tāmen zhǔnbèi zàicì xiàng xī zǒu. Zài tiānkōng zhōng, yāoguài kànzhe tāmen. Tā duì zìjǐ shuō: "Wǒ zhēn de hěn xiǎng chī nàgè héshàng de ròu. Wǒ bìxū mǎshàng zuò xiē shìqíng, yīnwèi rúguǒ tāmen zài zǒu jǐ lǐ, jiù huì líkāi wǒ de shān, wǒ jiù méiyǒu bànfǎ duì tāmen zuò rènhé shìqíng." Suǒyǐ tā biàn chéng le yígè liúzhe cháng cháng de bái

开，我会离开。但是，请您说'松³头带魔语，'这样我就可以脱了头带，再回家。"

"猴子，我从观音佛祖那里学了'紧头带魔语'。她没有教我'松头带魔语'。我不能帮你脱了头带。"

"那么您必须让我做您的徒弟。"

"好的，"唐僧同意。"但是你一定不能再伤害任何人。"

孙悟空帮助唐僧上了马，他们准备再次向西走。在天空中，妖怪看着他们。她对自己说："我真的很想吃那个和尚的肉。我必须马上做些事情，因为如果他们再走几里，就会离开我的山，我就没有办法对他们做任何事情。"所以她变成了一个留着长长的白

---

³ 松　　　　sōng - loose

húzi de lǎorén. Tā zǒu dé hěn màn, niànzhe fú.

Tángsēng kànjiàn le nàgè lǎorén, zài yí cì, tā kànbúdào
nà shì yí gè yāoguài. "A, kàn," tā shuō, "zhège lǎorén
jīhū bùnéng zǒulù le, dàn tā hái zài niànfó." Tā
zhuǎnxiàng lǎorén, shuō: "Nǐ hǎo, lǎorén!"

Lǎorén huídá: "Héshàng, zhè wèi lǎorén zài zhèlǐ zhù
le hěnduō nián. Wǒ yìshēng dōu zài nǔlì zuò hǎoshì.
Wǒ gěi sēng rén men shíwù, wǒ dú fú shū. Dànshì
jīntiān shì fēicháng huài de yìtiān. Wǒ de nǚ'ér qù gěi
tā de zhàngfu sòng fàn, dànshì wǒmen yìzhí méiyǒu
jiàndào tā. Ránhòu wǒ qīzi qù zhǎo tā, wǒ yě zài
méiyǒu jiàndào wǒ de qīzi. Wǒ dānxīn tāmen dōu bèi
lǎohǔ chī le."

Sūn Wùkōng zhǐshì xiàozhe shuō: "Nǐ búshì lǎorén, wǒ
kěyǐ kàn dào nǐ shì yāoguài." Tā zhǔnbèi yòng tā de
bàng dǎ nàgè lǎorén de tóu. Dànshì tā tíng le xiàlái. Tā
duì zìjǐ shuō: "Zhè shì yí gè wèntí. Rúguǒ wǒ dǎ le
lǎorén, wǒ shīfu

胡子的老人。他走得很慢，念着佛。

唐僧看见了那个老人，再一次，他看不到那是一个妖怪。"啊，看，"他说，"这个老人几乎不能走路了，但他还在念佛。"他转向老人，说："你好，老人！"

老人回答："和尚，这位老人在这里住了很多年。我一生都在努力做好事。我给僧人们食物，我读佛书。但是今天是非常坏的一天。我的女儿去给她的丈夫送饭，但是我们一直没有见到她。然后我妻子去找她，我也再没有见到我的妻子。我担心她们都被老虎吃了。"

孙悟空只是笑着说："你不是老人，我可以看到你是妖怪。"他准备用他的棒打那个老人的头。但是他停了下来。他对自己说："这是一个问题。如果我打了老人，我师父

huì niàn 'jǐn tóu dài mó yǔ'. Dànshì rúguǒ wǒ bù dǎ

nàgè lǎorén, tā huì chī wǒ de shīfu. Wǒ yīnggāi zěnme

bàn?"

Hěn kuài, tā jiào le shānli de tǔdì shén, gàosù tāmen

kànzhe yāoguài, rúguǒ yāoguài de línghún líkāi lǎorén

de shēntǐ, jiù zhuā zhù tā. Ránhòu tā yòng tā de bàng

dǎ le lǎorén de tóu. Yāoguài de línghún méiyǒu bànfǎ

líkāi tā de shēntǐ, suǒyǐ línghún liú zài lǎorén de shēntǐ

lǐ, sǐle.

Tángsēng, Zhū hé Shā dōu kàndào le zhèxiē. Zhū shuō:

"Duì nà zhǐ hóuzi lái shuō, zhēnshi hěn huài de yìtiān.

Xiànzài hái búshì chī zhōngwǔ fàn de shíhòu, tā yǐjīng

shā sǐ le sān gè rén!"

"Shīfu," Sūn Wùkōng shuō, "zhè búshì rén. Zhè shì yí

gè yāoguài. Guòlái kàn!" Tā dàizhe tāmen kàn le shītǐ,

dànshì nàlǐ méiyǒu shītǐ, zhǐyǒu yī duī báigǔ. "Kànjiàn

le ma? Wǒ shā sǐ le tā, xiànzài nǐmen kěyǐ kàndào tā

zhēn

会念'紧头带魔语'。但是如果我不打那个老人，他会吃我的师父。我应该怎么办？"

很快，他叫了山里的土地神，告诉他们看着妖怪，如果妖怪的灵魂离开老人的身体，就抓住它。然后他用他的棒打了老人的头。妖怪的灵魂没有办法离开他的身体，所以灵魂留在老人的身体里，死了。

唐僧，猪和沙都看到了这些。猪说："对那只猴子来说，真是很坏的一天。现在还不是吃中午饭的时候，他已经杀死了三个人！"

"师父，"孙悟空说，"这不是人。这是一个妖怪。过来看！"他带着他们看了尸体，但是那里没有尸体，只有一堆[4]白骨。"看见了吗？我杀死了它，现在你们可以看到它真

---

[4] 堆   duī – (measure word), a heap or pile

de yàngzi."

Dànshì Zhū shuō: "Shīfu, bié xiāngxìn tā. Tā zhǐshì zài gàosù nín yí gè gùshì. Tā bǎ lǎorén de shītǐ biàn chéng le yì duī gǔ. Tā jīntiān zhēn de shā le sān gè rén."

Tángsēng tīng le Zhū de huà, kànzhe nà duī gǔ. Ránhòu tā duì Sūn Wùkōng shuō: "Hóuzi, nǐ bìxū zǒu. Yí gè hǎorén zuò de shì jiù xiàng chūntiān lǐ de cǎo, měitiān dōu yǒu gèng duō. Dànshì nǐ búshì zhèyàng zuòshì. Nǐ jīntiān yǐjīng shā sǐ le sān gè rén. wǒmen zài shānli, rúguǒ wǒmen zài chéng lǐ ne? Nǐ yào shā sǐ jǐ bǎi gè rén ma? Bù, nǐ bùnéng zuò wǒ de túdì. Xiànzài jiù líkāi."

Sūn Wùkōng shuō: "Shīfu, nín de huà shānghài le wǒ. Nín tīng nàgè bèn Zhū de huà, dànshì nín wàng le wǒ wèi nín zuò de suǒyǒu de hǎoshì. Hěnduō cì, wǒ cóng yāoguài hé móguǐ zhōng jiù le nín. Wǒ bǎ Zhū hé Shā gěi nín zuò túdì. Dànshì wǒ kàndào nín wàngjì le suǒyǒu zhèxiē shìqíng. Suǒyǐ, rúguǒ nín yào wǒ lí

的样子。"

但是猪说："师父，别相信他。他只是在告
诉您一个故事。他把老人的尸体变成了一堆
骨。他今天真的杀了三个人。"

唐僧听了猪的话，看着那堆骨。然后他对孙
悟空说："猴子，你必须走。一个好人做的
事就像春天里的草，每天都有更多。但是你
不是这样做事。你今天已经杀死了三个人。
我们在山里，如果我们在城里呢？你要杀死
几百个人吗？不，你不能做我的徒弟。现在
就离开。"

孙悟空说："师父，您的话伤害了我。您听
那个笨猪的话，但是您忘了我为您做的所有
的好事。很多次，我从妖怪和魔鬼中救了
您。我把猪和沙给您做徒弟。但是我看到您
忘记了所有这些事情。所以，如果您要我离

kāi, wǒ huì líkāi."

Sūn Wùkōng xiǎng yào xiàng tā de shīfu jūgōng, dànshì Tángsēng zhuǎnshēn zǒu le. Suǒyǐ, Sūn Wùkōng cóng tóushàng bá le sāngēn máofà, chuī le yíxià, shuō: "Biàn!" Tāmen biàn chéng le Sūn Wùkōng. Sì zhī hóuzi zhàn zài Tángsēng de sìzhōu, suǒyǐ tā méiyǒu bànfǎ zhuǎnshēn. Sì zhī hóuzi dōu xiàng Tángsēng dītóu jūgōng. Ránhòu, Sūn Wùkōng bǎ sāngēn máofà dài huí tā de shēntǐ lǐ, tiào dào kōngzhōng, fēi xiàng Huāguǒ shān.

Tángsēng qí shàng mǎ, zài yí cì kāishǐ xiàng xī zǒu. Zhū zǒu zài tā de qiánmiàn, Shā zǒu zài tā de hòumiàn. Tāmen jìnrù le yí piàn hēi'àn de dà sēnlín. Tángsēng hěn pà sēnlín. Tā yě è le. Sūn Wùkōng zǒu le yǐhòu, tā ràng Zhū zhǎo yìxiē sùshí. Zhū ràng tā děngzhe hé xiūxi, ránhòu ná qǐ yàofàn de wǎn xiàng xī zǒu qù. Tā zǒu le jǐ gè xiǎoshí, dànshì méiyǒu kàn dào cūnzi, méiyǒu kàndào fángzi, méiyǒu kàndào rén, yě méiyǒu kàndào shíwù. Tā kāishǐ lèi le, zhǐ xiǎng shuìjiào.

开，我会离开。"

孙悟空想要向他的师父鞠躬，但是唐僧转身走了。所以，孙悟空从头上拔了三根毛发，吹了一下，说："变！"他们变成了孙悟空。四只猴子站在唐僧的四周，所以他没有办法转身。四只猴子都向唐僧低头鞠躬。然后，孙悟空把三根毛发带回他的身体里，跳到空中，飞向花果山。

唐僧骑上马，再一次开始向西走。猪走在他的前面，沙走在他的后面。他们进入了一片黑暗的大森林。唐僧很怕森林。他也饿了。孙悟空走了以后，他让猪找一些素食。猪让他等着和休息，然后拿起要饭的碗向西走去。他走了几个小时，但是没有看到村子，没有看到房子，没有看到人，也没有看到食物。他开始累了，只想睡觉。

"Rúguǒ wǒ huí dào shīfu nàlǐ, méiyǒu chī de dōngxī, tā huì shēngqì de." Tā duì zìjǐ shuō, "wǒ yīnggāi zài zhèlǐ xiūxi yīhuǐ'er, děng guò le yìxiē shíjiān yǐhòu, zài huíqù." Tā zài dìshàng xiūxi, dànshì hěn kuài jiù shuìzháo le.

Tángsēng yuè lái yuè è le. "Nà zhū zài nǎlǐ?" Tā wèn Shā Wùjìng. "Shīfu," Shā shuō, "nà zhū zǒngshì è, zǒngshì zhǐ xiǎngzhe zìjǐ. Tā yìdiǎn dōu méiyǒu xiǎngdào nín. Tā kěnéng zìjǐ zhèngzài chī suǒyǒu de shíwù. Chī bǎo hòu, tā huì huílái. Kěnéng ba."

Suǒyǐ, Shā Wùjìng ná le tā de guǎizhàng, zǒu jìn sēnlín zhǎo Zhū. Xiànzài Tángsēng yígè rén zài sēnlín lǐ. Tā děng le yīhuǐ'er. Ránhòu qí shàng mǎ, kāishǐ xiàng xī, xiàng nán, ránhòu xiàng dōng zǒu. Hěn kuài, tā bù zhīdào zìjǐ zài nǎlǐ, yě bù zhīdào yào wǎng nǎge fāngxiàng zǒu. Tā jìxù qízhe mǎ. Bùjiǔ, tā lái dào le yí zuò měilì de jīnsè bǎotǎ. Fùjìn méiyǒu shù

"如果我回到师父那里，没有吃的东西，他会生气的。"他对自己说，"我应该在这里休息一会儿，等过了一些时间以后，再回去。"他在地上休息，但是很快就睡着了。

唐僧越来越饿了。"那猪在哪里？"他问沙悟净。"师父，"沙说，"那猪总是饿，总是只想着自己。他一点都没有想到您。他可能自己正在吃所有的食物。吃饱后，他会回来。可能吧。"

所以，沙悟净拿了他的拐杖，走进森林找猪。现在唐僧一个人在森林里。他等了一会儿。然后骑上马，开始向西，向南，然后向东走。很快，他不知道自己在哪里，也不知道要往哪个方向走。他继续骑着马。不久，他来到了一座美丽的金色宝塔[5]。附近没有树

---

5 宝塔　　bǎotǎ – pagoda

mù, suǒyǐ jīnsè de tàiyáng guāng cóng tiānshàng dào

dìshàng, ràng bǎotǎ míngliàng de fāguāng.

Tángsēng cóng báimǎ shàng xiàlái, bǎ mǎ bǎng zài

fùjìn de shù pángbiān. Ránhòu tā zǒu jìn le bǎotǎ.

Dāng tā zǒu jìn lǐmiàn de shíhòu, tā kàndào yí gè dà

yāoguài shuì zài yǐzi shàng. Yāoguài yǒu yì zhāng

hóngsè de liǎn, zǐsè de húzi hé cháng cháng de bái yá.

Tā chuānzhe yí jiàn jiù de huángsè cháng yī, méiyǒu

chuān xié. Tángsēng zhuǎnshēn pǎo chū mén. Dànshì

yāoguài tīngdào le tā de shēngyīn. Tā xǐng le, dà hǎn:

"Háizimen! Shúi zài wǒmen de mén wàimiàn?"

Yí gè xiǎo móguǐ huídá shuō: "Dàwáng, nà shì yí gè

héshàng. Tā de shēntǐ yǒu hěnduō hǎo chī de ròu. Wǒ

xiǎng tā huì shì nǐ de yí dùn hǎo chī de wǎnfàn."

"Bǎ tā dài dào zhèlǐ!" Yāoguài dà jiào. Xiǎo móguǐ bǎ

Tángsēng dài huí bǎotǎ. Tángsēng fēicháng hàipà.

Yāoguài shuō: "Nǐ

木，所以金色的太阳光从天上到地上，让宝塔明亮地发光。

唐僧从白马上下来，把马绑[6]在附近的树旁边。然后他走进了宝塔。当他走进里面的时候，他看到一个大妖怪睡在椅子上。妖怪有一张红色的脸，紫色的胡子和长长的白牙。他穿着一件旧的黄色长衣，没有穿鞋。唐僧转身跑出门。但是妖怪听到了他的声音。他醒了，大喊：“孩子们！谁在我们的门外面？”

一个小魔鬼回答说：“大王，那是一个和尚。他的身体有很多好吃的肉。我想他会是你的一顿好吃的晚饭。”

“把他带到这里！”妖怪大叫。小魔鬼把唐僧带回宝塔。唐僧非常害怕。妖怪说：“你

---

6 绑   bǎng – to tie up

当他走进里面的时候，他看到一
个大妖怪睡在椅子上

Dāng tā zǒu jìn lǐmiàn de shíhòu, tā kàn dào
yí gè dà yāoguài shuì zài yǐzi shàng.

**When he stepped inside, he saw an
big old monster sleeping in a chair.**

cóng nǎlǐ lái? Nǐ yào qù nǎlǐ. Kuài gàosù wǒ!"

Tángsēng shuō, Táng huángdì ràng tā dào xītiān, qù zhǎo fú shū, ránhòu bǎ tā dài huí dōngfāng.

Yāoguài xiàozhe shuō: "Wǒ hěn gāoxìng nǐ zài zhèlǐ. Wǒ yào chī nǐ!" Ránhòu tā gàosù xiǎo móguǐ qù kǔn Tángsēng.

"Xiǎoxīn, xiānshēng. Wǒ yǒu liǎng gè hěn lìhài hěn qiángdà de zhànshì," Tángsēng shuō.

"Nà gèng hǎo. Nǐ jiā shàng nǐ de liǎng gè túdì, jiùshì sān gè. Rúguǒ zài jiā shàng nǐ de mǎ, nà jiùshì sì gè! Wǒmen kěyǐ chī yí dùn hǎo fàn le." Ránhòu, tā gàosù xiǎo móguǐ men guān le bǎotǎ de dàmén, děngzhe Tángsēng de liǎng gè túdì dàolái.

Zhège shíhòu, Shā Wùjìng yìzhí zài sēnlín lǐ zhǎo Zhū, zuìhòu zhǎodào le Zhū Bājiè. Zhū hái zài shuìjiào. Shā bǎ tā jiào xǐng,

从哪里来？你要去哪里。快告诉我！"

唐僧说，唐皇帝让他到西天，去找佛书，然后把它带回东方。

妖怪笑着说："我很高兴你在这里。我要吃你！"然后他告诉小魔鬼去捆唐僧。

"小心，先生。我有两个很厉害很强大的战士[7]，"唐僧说。

"那更好。你加上你的两个徒弟，就是三个。如果再加上你的马，那就是四个！我们可以吃一顿好饭了。"然后，他告诉小魔鬼们关了宝塔的大门，等着唐僧的两个徒弟到来。

这个时候，沙悟净一直在森林里找猪，最后找到了猪八戒。猪还在睡觉。沙把他叫醒，

---

[7] 战士　zhànshì – warrior

ránhòu huí dào le tāmen líkāi Tángsēng de dìfāng.

Dāngrán, Tángsēng búzài nàlǐ le. Tāmen kāishǐ zhǎo tā.

Zhǎo le yí gè xiǎoshí, tāmen kàndào le jīnsè bǎotǎ.

"Měi jí le!" Zhū shuō, "zhège dìfāng hěn piàoliang. Wǒ juédé wǒmen de shīfu yídìng zài lǐmiàn, chī hěnduō hǎo chī de sùshí. Ràng wǒmen yě qù ná yìxiē gěi wǒmen zìjǐ."

"Wǒ bù xǐhuān zhège dìfāng de yàngzi." Shā shuō: "Wǒ juédé zhè shì yí gè yāoguài dòng."

Dànshì Zhū méiyǒu tīng tā de huà. Tā zǒu dào bǎotǎ de ménqián, dà hǎn: "Kāimén! Kāimén!"

"Dàwáng," yǒu yí gè xiǎo mógǔi shuō, "yǒu gè héshàng lái le. Tā dà ěr cháng zuǐ. Hái yǒu lìng yí gè dà gèzi de héshàng. Wǒmen yīnggāi zuò shénme?"

"Wǒmen de wǎnfàn lái le! Qǐng tāmen jìnlái!" Yāoguài shuō. Dāng Zhū hé Shā jìnlái de shíhòu, yāoguài shuō: "Nǐ cóng nǎlǐ lái, wèishéme zài wǒjiā mén wài dà jiào? Qǐng jìnlái chī

然后回到了他们离开唐僧的地方。当然，唐僧不在那里了。他们开始找他。找了一个小时，他们看到了金色宝塔。"美极了！"猪说，"这个地方很漂亮。我觉得我们的师父一定在里面，吃很多好吃的素食。让我们也去拿一些给我们自己。"

"我不喜欢这个地方的样子。"沙说："我觉得这是一个妖怪洞。"

但是猪没有听他的话。他走到宝塔的门前，大喊："开门！开门！"

"大王，"有一个小魔鬼说，"有个和尚来了。他大耳长嘴。还有另一个大个子的和尚。我们应该做什么？"

"我们的晚饭来了！请他们进来！"妖怪说。当猪和沙进来的时候，妖怪说："你从哪里来，为什么在我家门外大叫？请进来吃

yìxiē hǎo chī de rénròu bāozi."

Zhū kāishǐ zǒu le jìnqù. Dànshì Shā mǎshàng duì tā
shuō: "Gēge, nǐ wàng le ma? Nǐ bú zài chī rénròu le!"
Zhū juédé zìjǐ hǎoxiàng shì cóng mèng zhōng xǐng lái.
Tā ná chū bàzi, yào dǎ huáng yī yāoguài. Tāmen liǎng
gè qǐlái dào kōngzhōng zhàndòu. Shā yě cānjiā le
zhàndòu. Tāmen dǎ le hěn cháng shíjiān. Zhū yòng jiǔ
zhǎu bà, Shā yòng guǎizhàng, huáng yī yāoguài yòng
wān dāo. Tāmen yìzhí dǎ dào kōngzhōng dōu shì
yúnyān. Dàshí huǐhuài, dàshān dǎo xià, dàn tāmen hái
zài jìxù zhàndòu.

Dāng tāmen zài kōngzhōng zhàndòu de shíhòu,
Tángsēng bèi kǔn zài bǎotǎ lǐ. Tā xiànzài kěyǐ kàndào
zhèshì yí gè shāndòng. Tā kāishǐ kū le. Tā tīngdào fùjìn
yǒu shēngyīn. Tā tái qǐ tóu, kàn dào yí gè sānshí suì
zuǒyòu de nǚrén zhàn zài tā de miànqián.

Tā shuō: "Lǎorén, nǐ cóng nǎlǐ lái? Nǐ wèishéme bèi
kǔn

一些好吃的人肉包子[8]。"

猪开始走了进去。但是沙马上对他说:"哥哥,你忘了吗?你不再吃人肉了!"猪觉得自己好像是从梦中醒来。他拿出耙子,要打黄衣妖怪。他们两个起来到空中战斗。沙也参加了战斗。他们打了很长时间。猪用九爪耙,沙用拐杖,黄衣妖怪用弯刀。他们一直打到空中都是云烟。大石毁坏,大山倒下,但他们还在继续战斗。

当他们在空中战斗的时候,唐僧被捆在宝塔里。他现在可以看到这是一个山洞。他开始哭了。他听到附近有声音。他抬起头,看到一个三十岁左右[9]的女人站在他的面前。

她说:"老人,你从哪里来?你为什么被捆

---

[8] 包子　　bāozi – steamed bun
[9] 左右　　zuǒyòu – approximately

qǐlái?"

"Bié wèn wǒ rènhé wèntí," Tángsēng hěn lèi de huídá.

"Rúguǒ nǐ è le, nà jiù lái chī wǒ ba."

"Wǒ bù chī rén! Wǒ láizì xībiān de Bǎo Xiàng guó, lí zhèlǐ sānbǎi lǐ. Wǒ shì guówáng de dì sān gè nǚ'ér. Shísān nián qián, huáng yī yāoguài lái dào wǒ de chéngshì, zhuā le wǒ, bǎ wǒ dài huí zhèlǐ zuò tā de qīzi. Wǒ méiyǒu bànfǎ zǔzhǐ tā. Wǒ méiyǒu bànfǎ gěi wǒ de bàba māma sòng xìn, suǒyǐ tāmen bù zhīdào wǒ zài nǎlǐ. Tāmen kěnéng yǐwéi wǒ sǐ le."

"Wǒ zhège kělián de héshàng zhèng xiàng xītiān qù zhǎo fú shū, bǎ tā dài huí dōngfāng. Wǒ lái dào zhège dìfāng, xiànzài wǒ juédé wǒ huì chéngwéi yāoguài de wǎnfàn."

"Qīn'ài de lǎorén, búyào dānxīn. Wǒ kěyǐ ràng wǒ zhàngfu fàng le nǐ. Dànshì nǐ bìxū wèi wǒ zuò diǎn shì. Dāng nǐ dào le wǒ bàba māma de chéngshì de shíhòu, qǐng bāng wǒ dài yì fēng xìn gěi tāmen. Nǐ huì nàyàng zuò ma?"

起来？"

"别问我任何问题，"唐僧很累地回答。
"如果你饿了，那就来吃我吧。"

"我不吃人！我来自西边的宝象国，离这里
三百里。我是国王的第三个女儿。十三年
前，黄衣妖怪来到我的城市，抓了我，把我
带回这里做他的妻子。我没有办法阻止他。
我没有办法给我的爸爸妈妈送信，所以他们
不知道我在哪里。他们可能以为我死了。"

"我这个可怜的和尚正向西天去找佛书，把
它带回东方。我来到这个地方，现在我觉得
我会成为妖怪的晚饭。"

"亲爱的老人，不要担心。我可以让我丈夫
放了你。但是你必须为我做点事。当你到了
我爸爸妈妈的城市的时候，请帮我带一封信
给他们。你会那样做吗？"

"Dāngrán," Tángsēng shuō. Suǒyǐ nàgè nǚrén sōng kāi tā de shéngzi. Tā xiě le yì fēng xìn gěi le tā. Ránhòu Tángsēng zǒuchū bǎotǎ de hòumén, jìn le sēnlín. Tā zài nà'er děngzhe, kànkan Zhū hé Shā shì bùshì néng dǎbài yāoguài.

Nà nǚrén zǒuchū qiánmén. Tā tái qǐ tóu, kàndào tā de zhàngfu zài kōngzhōng, hé Zhū, Shā zhàndòu. Tā duì tā jiàozhe shuō: "Qīn'ài de zhàngfu, wǒ gāngcái zuò le yí gè mèng."

Yāoguài tíngzhǐ le zhàndòu, xiàlái zhàn zài dìshàng. "Gàosù wǒ," tā shuō.

"Wǒ yǐqián méiyǒu gàosùguò nǐ, dànshì dāng wǒ háishì gè háizi de shíhòu, wǒ yǒu yí gè mìmì shìyuàn. Wǒ de shìyuàn shì, rúguǒ wǒ zhǎodào yí gè hǎo zhàngfu, wǒ huì bǎ chī de dōngxī gěi hěn è de sēngrén, yòng zhège lái gǎnxiè shàngtiān. Gāngcái zài wǒ de mèng zhōng, yí gè jīnsè de shén lái dào wǒ shēnbiān, shuō wǒ bìxū zhào wǒ de shìyuàn zuòshì. Wǒ xǐng le, lái gàosù nǐ

"当然，"唐僧说。所以那个女人松开他的绳子。她写了一封信给了他。然后唐僧走出宝塔的后门，进了森林。他在那儿等着，看看猪和沙是不是能打败妖怪。

那女人走出前门。她抬起头，看到她的丈夫在空中，和猪，沙战斗。她对他叫着说："亲爱的丈夫，我刚才做了一个梦。"

妖怪停止了战斗，下来站在地上。"告诉我，"他说。

"我以前没有告诉过你，但是当我还是个孩子的时候，我有一个秘密誓愿[10]。我的誓愿是，如果我找到一个好丈夫，我会把吃的东西给很饿的僧人，用这个来感谢上天。刚才在我的梦中，一个金色的神来到我身边，说我必须照我的誓愿做事。我醒了，来告诉你

---

10 誓愿　shìyuàn – vow

nàgè mèng. Dànshì dāng wǒ zǒuguò fángzi de shíhòu, wǒ kàndào yí gè bèi kǔnzhe de héshàng. Nǐ néng ràng tā líkāi ma? Ràng tā líkāi jiù hé wǒ gěi tā chī dōngxī shì yíyàng de. Nǐ yuànyì wèi wǒ zuò zhè jiàn shì ma?"

"Dāngrán, wǒ qīn'ài de. Qù ba, ràng héshàng líkāi." Ránhòu yāoguài jiào Zhū hé Shā, "nǐmen kōngzhōng de liǎng gèrén. Xiàlái, dào zhèlǐ lái, wǒ bú zài hé nǐmen zhàndòu le. Nǐmen kěyǐ zǒu le. Hé nàgè héshàng yīqǐ zǒu, búyào zài huí dào zhèlǐ. Rúguǒ wǒ è le, wǒ zǒngshì néng zhǎodào qítā de rén chī."

Zhū hé Shā yǐjīng fēicháng lèi, bùxiǎng hé yāoguài zhàndòu le, suǒyǐ tāmen hěn gāoxìng zhàndòu yǐjīng jiéshù, tāmen méiyǒu bèi shā sǐ. Tāmen gǎnxiè yāoguài. Tāmen hěn kuài zài sēnlín lǐ zhǎodào le Tángsēng. Ránhòu sān gè rén kāishǐ xiàng xī zǒu.

Xiànzài, wǒ de háizi, nǐ kěnéng huì rènwéi zhè jiùshì gùshì de jiéshù. Dànshì hái yǒu gèng duō de gùshì yào gàosù nǐ. Zhè

那个梦。但是当我走过房子的时候，我看到一个被捆着的和尚。你能让他离开吗？让他离开就和我给他吃东西是一样的。你愿意为我做这件事吗？"

"当然，我亲爱的。去吧，让和尚离开。"然后妖怪叫<u>猪</u>和<u>沙</u>，"你们空中的两个人。下来，到这里来，我不再和你们战斗了。你们可以走了。和那个和尚一起走，不要再回到这里。如果我饿了，我总是能找到其他的人吃。"

<u>猪</u>和<u>沙</u>已经非常累，不想和妖怪战斗了，所以他们很高兴战斗已经结束，他们没有被杀死。他们感谢妖怪。他们很快在森林里找到了<u>唐僧</u>。然后三个人开始向西走。

现在，我的孩子，你可能会认为这就是故事的结束。但是还有更多的故事要告诉你。这

sān gè yóurén xiàng xī zǒu le jìn sānbǎi lǐ. Ránhòu,

tāmen cóng shānshàng xiàlái, kàndào le yí zuò měilì de

chéngshì. Nà jiùshì Bǎo Xiàng guó. Zhège chéngshì hěn

dà, yǒu xǔduō gōngdiàn, sìmiào hé kěyǐ zhòng dì de

tǔdì. Yóurén men hěn gāoxìng kàndào zhè zuò

chéngshì. Tāmen dào le yí gè xiǎo jiǔdiàn, bǎ mǎ bǎng

zài wàimiàn, zuò xiàlái xiūxi.

Hòulái, zài tāmen xiūxi yǐhòu, Tángsēng qù le guówáng

de gōngdiàn. "Zhè wèi kělián de héshàng xiǎng jiàn

guówáng." Tā shuō, "wǒ yǒu yì fēng zhòngyào de xìn

yào gěi tā." Tā bèi dài dào wánggōng jiàn guówáng.

"Bìxià, zhè wèi shì láizì Táng guó de dīxià de sēngrén,

zhèngzài qù xītiān. Wǒ bìxū gàosù nǐ, nǐ de nǚ'ér, dì

sān wèi gōngzhǔ, duōnián yǐqián bèi huáng yī yāoguài

dài zǒu de. Wǒ yùdào le tā, tā yào wǒ gěi nǐ zhè fēng

xìn." Tā bǎ xìn gěi le guówáng:

三个游人向西走了近三百里。然后，他们从山上下来，看到了一座美丽的城市。那就是宝象国。这个城市很大，有许多宫殿，寺庙和可以种地的土地。游人们很高兴看到这座城市。他们到了一个小酒店，把马绑在外面，坐下来休息。

后来，在他们休息以后，唐僧去了国王的宫殿。"这位可怜的和尚想见国王。"他说，"我有一封重要的信要给他。"他被带到王宫见国王。

"陛下，这位是来自唐国的低下的僧人，正在去西天。我必须告诉你，你的女儿，第三位公主[11]，多年以前被黄衣妖怪带走的。我遇到了她，她要我给你这封信。"他把信给了国王：

---

[11] 公主　gōngzhǔ – princess

"Nín kělián de nǚ'ér, xiàng wǒ de bàba, guówáng, xiàng wǒ de māma, wánghòu, kētóu yìbǎi cì. Shísān nián yǐqián, bā yuè shíwǔ rì nàgè xiàtiān wǎnshàng, nín jǔxíng le yí gè dà yànhuì. Yànhuì zhōng, yí zhèn mó fēng bǎ huáng yī yāoguài dài dào le wǒmen jiā. Tā bǎ wǒ dài dào tā de shānshàng, ràng wǒ chéngwéi tā de qīzi. Wǒ bùnéng zǔzhǐ tā. Wǒ hé tā zài yìqǐ yǐjīng shísān nián le, gěi le tā liǎng gè yāoguài érzi. Zuìjìn, nín kělián de nǚ'ér yùdào le zhège shèng sēng Tángsēng, tā yě bèi yāoguài dài zǒu le. Wǒ gěi le tā zhè fēng xìn. Qǐng nín mǎshàng ràng dàjiàng hé nín de jūnduì qù zhuā zhège yāoguài, bǎ nín de nǚ'ér dài huí jiā. Nín de nǚ'ér yí cì zài yīcì xiàng nín kētóu."

Guówáng hé wánghòu tīngdào zhè fēng xìn de shíhòu kū le. Ránhòu guówáng shuō: "Lǎorén, wǒmen méiyǒu dàjiàng, yě méiyǒu jūnduì. Wǒmen yǒu yìxiē shìwèi, dàn méiyǒu zhēn de zhànshì. Wǒmen shì shānlǐ de hépíng wángguó. Wǒmen bùnéng hé zhège yāoguài zhàndòu. Dànshì nǐ shì yí gè qiángdà de héshàng. Nǐ néng bāng wǒ

"您可怜的女儿，向我的爸爸，国王，向我的妈妈，王后[12]，磕头一百次。十三年以前，八月十五日那个夏天晚上，您举行了一个大宴会。宴会中，一阵魔风把黄衣妖怪带到了我们家。他把我带到他的山上，让我成为他的妻子。我不能阻止他。我和他在一起已经十三年了，给了他两个妖怪儿子。最近，您可怜的女儿遇到了这个圣僧唐僧，他也被妖怪带走了。我给了他这封信。请您马上让大将和您的军队去抓这个妖怪，把您的女儿带回家。您的女儿一次再一次向您磕头。"

国王和王后听到这封信的时候哭了。然后国王说："老人，我们没有大将，也没有军队。我们有一些侍卫，但没有真的战士。我们是山里的和平王国。我们不能和这个妖怪战斗。但是你是一个强大的和尚。你能帮我

---

[12] 王后　wánghòu – queen

men ma?"

"Zhège kělián de héshàng zhīdào yìdiǎn fú, dàn qíshí, tā méiyǒu bànfǎ hé yāoguài zhàndòu."

"Rúguǒ nǐ bùnéng zhàndòu, nǐ zěnme kěnéng qù xītiān, zài cóng xītiān huílái?"

"Bìxià, wǒ yǒu liǎng gè túdì bǎohùzhe wǒ. Tāmen jiào Zhū Bājiè hé Shā Wùjìng. Tāmen yǒudiǎn chǒu. Qíshí tāmen hěn chǒu. Zhè jiùshì wèishéme wǒ méiyǒu bǎ tāmen dài rù nǐ de měilì gōngdiàn. Tāmen zài wàimiàn děngzhe."

"Hǎo ba, nǐ yǐjīng gàosù wǒmen guānyú nǐ de túdì, wǒmen zhǔnbèi hǎo le hé tāmen jiànmiàn. Dài tāmen jìnlái!"

Zhū hé Shā jìnrù wánggōng. "Nǐ," guówáng duì Zhū shuō, "nǐ de shīfu shuō nǐ shì yí gè hěn lìhài de zhànshì. Ràng wǒmen kànkan nǐ de qiángdà."

Zhū yòng shǒuzhǐ zuò le yí gè mófǎ, niàn le yí gè mó yǔ. Rán

们吗？"

"这个可怜的和尚知道一点佛，但其实，他没有办法和妖怪战斗。"

"如果你不能战斗，你怎么可能去西天，再从西天回来？"

"陛下，我有两个徒弟保护着我。他们叫<u>猪八戒</u>和<u>沙悟净</u>。他们有点丑。其实他们很丑。这就是为什么我没有把他们带入你的美丽宫殿。他们在外面等着。"

"好吧，你已经告诉我们关于你的徒弟，我们准备好了和他们见面。带他们进来！"

<u>猪</u>和<u>沙</u>进入王宫。"你，"国王对<u>猪</u>说，"你的师父说你是一个很厉害的战士。让我们看看你的强大。"

<u>猪</u>用手指做了一个魔法，念了一个魔语。然

hòu tā dà hǎn: "Zhǎng!" Tā biàn dé bǐ yǐqián dà shí bèi. Wánggōng lǐ de měi gè rén dōu fēicháng hàipà, dànshì guówáng hěn gāoxìng. Tā gěi le Zhū yì bēi jiǔ, táitóu kànzhe tā, shuō: "Lǎorén, zhè bēi jiǔ shì gěi nǐ de. Qǐng qù zhuā yāoguài, bǎ wǒmen de xiǎo nǚhái dài huílái. Ránhòu, wǒmen huì jǔxíng yí gè dà yànhuì. Wǒmen huì gǎnxiè nǐ, gěi nǐ yì qiān kuài jīnzi." Zhū biàn huí dào le zìjǐ de dàxiǎo, hē le jiǔ. Guówáng yě gěi le Tángsēng hé Shā Wùjìng yì bēi jiǔ, dànshì, Tángsēng dāngrán shì méiyǒu hē. Ránhòu tāmen dōu chī le sùshí wǎnfàn, jiù qù shuì le.

Dì èr tiān, Zhū hé Shā fēi dào yún shàng, qù le huáng yī yāoguài de shāndòng. Zhū yònglì dǎ zài qiánmén shàng, zài qiánmén shàng dǎ le yí gè dòng. Yí gè xiǎo móguǐ pǎo dào yāoguài nàlǐ, shuō: "Shīfu, dà ěrduǒ hé cháng bízi de héshàng huílái le, dǎ huài le wǒmen de qiánmén!"

Yāoguài duì dǎ huài de qiánmén hěn shēngqì. Tā zǒu dào wàimiàn shuō: "Héshàng, wǒ méiyǒu shānghài nǐmen hé nǐmen de shīfu, ràng

后他大喊："长！"他变得比以前大十倍。王宫里的每个人都非常害怕，但是国王很高兴。他给了猪一杯酒，抬头看着他，说："老人，这杯酒是给你的。请去抓妖怪，把我们的小女孩带回来。然后，我们会举行一个大宴会。我们会感谢你，给你一千块金子。"猪变回到了自己的大小，喝了酒。国王也给了唐僧和沙悟净一杯酒，但是，唐僧当然是没有喝。然后他们都吃了素食晚饭，就去睡了。

第二天，猪和沙飞到云上，去了黄衣妖怪的山洞。猪用力打在前门上，在前门上打了一个洞。一个小魔鬼跑到妖怪那里，说："师父，大耳朵和长鼻子的和尚回来了，打坏了我们的前门！"

妖怪对打坏的前门很生气。他走到外面说："和尚，我没有伤害你们和你们的师父，让

nǐmen líkāi le. Nǐmen wèishéme yòu huí dào wǒ de jiā, nǐmen wèishéme dǎ huài le wǒ měilì de qiánmén?"

"Shì de, nǐ ràng wǒmen zǒu le. Dànshì wǒmen gāng tīng shuō, nǐ zhuā le guówáng dì sān gè nǚ'ér, ràng tā zuò nǐ de qīzi. Nǐ yǐjīng ràng tā zài zhèlǐ zhù le shísān nián. Xiànzài guówáng yào wǒmen bǎ tā dài huí jiā. Mǎshàng bǎ tā gěi wǒmen. Rúguǒ nǐ bù gěi, wǒ zhǐ néng dòngshǒu le."

Yāoguài tīng le yǐhòu dà xiào. Tā ná chū le tā de wān dāo, xiǎng yào shā sǐ Zhū. Zhàndòu kāishǐ le. Zhū yòng bàzi, hǎn dào: "Nǐ shānghài le guójiā, bìxū sǐ!" Shā yòng tā de guǎizhàng, hǎn dào: "Nǐ zhuā le gōngzhǔ, gěi tā de guójiā dài lái le chǐrǔ!" Yāoguài yòng tā de wān dāo, gāo hǎn, "zhè hé nǐmen méiyǒu guānxì, chūqù!"

Tāmen zhàndòu le hěn cháng shíjiān. Zhū hé Shā yǐjīng fēicháng lèi le. Zuìhòu Zhū shuō: "Dìdi, nǐ hé yāoguài dǎ. Wǒ bì

你们离开了。你们为什么又回到我的家，你们为什么打坏了我美丽的前门？"

"是的，你让我们走了。但是我们刚听说，你抓了国王第三个女儿，让她做你的妻子。你已经让她在这里住了十三年。现在国王要我们把她带回家。马上把她给我们。如果你不给，我只能动手了。"

妖怪听了以后大笑。他拿出了他的弯刀，想要杀死猪。战斗开始了。猪用耙子，喊道："你伤害了国家，必须死！"沙用他的拐杖，喊道："你抓了公主，给她的国家带来了耻辱[13]！"妖怪用他的弯刀，高喊，"这和你们没有关系，出去！"

他们战斗了很长时间。猪和沙已经非常累了。最后猪说："弟弟，你和妖怪打。我必

---

[13] 耻辱　chǐrǔ – shame

xū qù shùlín lǐ jǐ fēnzhōng." Zhū pǎo jìn shùlín, qù shuìjiào le. Shā yí gè rén bùnéng dǎ yíng yāoguài, hěn kuài yāoguài jiù zhuā zhù le Shā, bǎ tā kǔn qǐlái.

Xiànzài, zhège yāoguài fēicháng cōngmíng. Tā zhīdào Tángsēng de liǎng gè túdì wèishéme huí dào tā de jiā hé tā zhàndòu. Yídìng shì tāmen de shīfu sòng tāmen lái de. Dànshì wèishéme ne? Ránhòu tā míngbái le. Tā de qīzi yídìng jiànguò Tángsēng, xiàng tā jiǎng le tā de gùshì. Tā duì qīzi fēicháng shēngqì, ránhòu qù zhǎo tā.

"Qīzi," tā duì tā shuō, "nǐ zuò le shénme? Wǒ bǎ nǐ dài dào zhèlǐ, gěi nǐ sīchóu hé jīn. Nǐ yǒu wǒ de ài. Rènhé nǐ xiǎng yào de, wǒ dōu gěi le nǐ. Dànshì, xiànzài nǐ gàosù Tángsēng guānyú wǒ de gùshì, ràng tā de túdì lái hé wǒ zhàndòu? Nǐ wèishéme yào duì wǒ zuò zhèxiē shì?"

"Wǒ shénme yě méi zuò!" Tā kū le.

须去树林里几分钟。"猪跑进树林，去睡觉了。 沙一个人不能打赢妖怪，很快妖怪就抓住了沙，把他捆起来。

现在，这个妖怪非常聪明。他知道唐僧的两个徒弟为什么回到他的家和他战斗。一定是他们的师父送他们来的。但是为什么呢？然后他明白了。他的妻子一定见过唐僧，向他讲了她的故事。他对妻子非常生气，然后去找她。

"妻子，"他对她说，"你做了什么？我把你带到这里，给你丝绸和金。你有我的爱。任何你想要的，我都给了你。但是，现在你告诉唐僧关于我的故事，让他的徒弟来和我战斗？你为什么要对我做这些事？"

"我什么也没做！"她哭了。

"Ō? Ràng wǒmen kànkan zhège rén zěnme shuō!"

Ránhòu, tā bǎ Shā Wùjìng tuōjìn le fángjiān. "Xiànzài gàosù wǒmen: gōngzhǔ yǒu méiyǒu gěi nǐ shīfu yī fēng xìn?"

Shā duì zìjǐ shuō: "Wǒ bùnéng ràng gōngzhǔ yǒu rènhé shānghài." Suǒyǐ tā duì nà yāoguài shuō: "Xiānshēng, méiyǒu xìn. Dāng wǒ de shīfu bèi kǔn zài nǐ de fángzi lǐ de shíhòu, tā kànjiàn le nǐ měilì de qīzi. Hòulái, wǒmen jiàn le Bǎo Xiàng guó de guówáng, wǒ de shīfu gàosù le tā jiànguò de nàgè nǚrén. Guówáng zhīdào nà shì tā de nǚ'ér. Suǒyǐ, guówáng jiào wǒmen huílái, bǎ tā dài huí jiā. Nǐ qīzi méiyǒu zuò rènhé shānghài nǐ de shìqíng. Rúguǒ nǐ yídìng yào shārén, qǐng shā sǐ wǒ."

Yāoguài gǎndào hěn bù hǎo, tā duì qīzi shuō: "Duìbùqǐ, wǒ duì nǐ dà hǎn dà jiào. Qǐng yuánliàng wǒ!" Tā zàicì bǎ Shā kǔn qǐlái. Ránhòu tā zuò xiàlái, hé qīzi yìqǐ chī wǎn

"噢[14]？让我们看看这个人怎么说！"然后，他把沙悟净拖进了房间。"现在告诉我们：公主有没有给你师父一封信？"

沙对自己说："我不能让公主有任何伤害。"所以他对那妖怪说："先生，没有信。当我的师父被捆在你的房子里的时候，他看见了你美丽的妻子。后来，我们见了宝象国的国王，我的师父告诉了他见过的那个女人。国王知道那是他的女儿。所以，国王叫我们回来，把她带回家。你妻子没有做任何伤害你的事情。如果你一定要杀人，请杀死我。"

妖怪感到很不好，他对妻子说："对不起，我对你大喊大叫。请原谅我！"他再次把沙捆起来。然后他坐下来，和妻子一起吃晚

---

14 噢　　Ō – oh?, oh!

然后他坐下来，和妻子一起吃晚
饭。

Ránhòu tā zuò xiàlái, hé qīzi yìqǐ chī wǎnfàn.

**Then he sat down and had dinner
with his wife.**

fàn. Tāmen liǎng gè rén dōu hē le hěnduō jiǔ. Zuìhòu
yāoguài shuō: "Qīn'ài de, wǒ bìxū qù gēn wǒ qīzi de
bàba wènhǎo. Wǒ yǐqián méiyǒu jiànguò tā. Wǒ
rènwéi shì shíhòu le."

Gōngzhǔ duì zhè hěn dānxīn. "Qǐng búyào zhèyàng
zuò. Nǐ shì wǒ de zhàngfu, dàn nǐ yěshì yí gè yāoguài.
Rúguǒ tā jiàndào nǐ, nǐ huì hàipà de."

"Nǐ shì duì de!" Tā huídá. Suǒyǐ, tā gǎibiàn le zìjǐ de
yàngzi. Xiànzài tā kànshàngqù xiàng gè gāo gèzi de
zhōng nián nánrén. Tā de liǎn hěn piàoliang, hēisè
cháng fà, chuānzhe báisè de sīchóu cháng yī hé hēisè
xiézi. Ránhòu tā hěn kuài fēi le sānbǎi lǐ dào guówáng
de gōngdiàn. Tā zhàn zài mén wài, dǎzhe mén,
shuōdao: "Guówáng dì sān gè nǚ'ér de zhàngfu lái
zhèlǐ jiàn guówáng."

Tā bèi dàizhe qù jiàn guówáng. Guówáng hé Tángsēng
zuò zài yìqǐ shuōhuà. "Wǒ bú rènshí nǐ," guówáng
shuō. "Nǐ shì shúi,

饭。他们两个人都喝了很多酒。最后妖怪
说："亲爱的，我必须去跟我妻子的爸爸问
好。我以前没有见过他。我认为是时候
了。"

公主对这很担心。"请不要这样做。你是我
的丈夫，但你也是一个妖怪。如果他见到
你，你会害怕的。"

"你是对的！"他回答。所以，他改变了自
己的样子。现在他看上去像个高个子的中年
男人。他的脸很漂亮，黑色长发，穿着白色
的丝绸长衣和黑色鞋子。然后他很快飞了三
百里到国王的宫殿。他站在门外，打着门，
说道："国王第三个女儿的丈夫来这里见国
王。"

他被带着去见国王。国王和唐僧坐在一起说
话。"我不认识你，"国王说。"你是谁，

nǐ zhù zài nǎlǐ, nǐ shénme shíhòu hé wǒmen de nǚ'ér jiéhūn de?"

"Ràng wǒ gàosù nǐ wǒ de gùshì. Shísān nián qián, wǒ hé wǒ de péngyǒu men zài sēnlín lǐ zǒulù. Wǒ kàn dào yī zhǐ dà lǎohǔ, zuǐ li yǒu yí gè xiǎo nǚhái. Wǒ yòng jiàn dǎ lǎohǔ, bǎ nǚhái dài huí le wǒ de jiā. Wǒ de péngyǒu bǎ lǎohǔ dài huí le wǒ de jiā. Zhège nǚhái méiyǒu shuō tā shì gōngzhǔ, suǒyǐ wǒ yǐwéi tā shì cūnlǐ de yí gè nǚhái. Wǒmen jiéhūn le. Wǒ xiǎng zài jiéhūn dà yàn zhōng bǎ lǎohǔ shā le chī, dànshì tā gàosù wǒ, lǎohǔ shì wǒmen de méirén, wǒmen yīnggāi fàng tā zǒu. Suǒyǐ wǒ ràng tā zǒu le. Hòulái wǒ tīng shuō nàgè lǎohǔ yǐjīng biàn chéng qiángdà de lǎohǔ jīng, shā sǐ hé chī diào sēngrén, biàn chéng sēngrén de yàngzi. Xiànzài wǒ kànjiàn lǎohǔ jiù zài zhèlǐ!" Ránhòu tā yòng shǒuzhǐ zhí zhǐzhe Tángsēng.

Guówáng bù zhīdào Tángsēng shì héshàng háishì lǎohǔ shì héshàng. Suǒyǐ tā duì yāoguài shuō: "Rúguǒ zhège héshàng zhēnde shì lǎohǔ, ràng wǒ kànkan tā zhēnde yàngzi."

你住在哪里，你什么时候和我们的女儿结婚的？"

"让我告诉你我的故事。十三年前，我和我的朋友们在森林里走路。我看到一只大老虎，嘴里有一个小女孩。我用箭打老虎，把女孩带回了我的家。我的朋友把老虎带回了我的家。这个女孩没有说她是公主，所以我以为她是村里的一个女孩。我们结婚了。我想在结婚大宴中把老虎杀了吃，但是她告诉我，老虎是我们的媒人，我们应该放它走。所以我让它走了。后来我听说那个老虎已经变成强大的老虎精，杀死和吃掉僧人，变成僧人的样子。现在我看见老虎就在这里！"然后他用手指直指着<u>唐僧</u>。

国王不知道<u>唐僧</u>是和尚还是老虎是和尚。所以他对妖怪说："如果这个和尚真的是老虎，让我看看他真的样子。"

"Hǎo de. Gěi wǒ yì bēi gānjìng de shuǐ." Yí gè púrén ná lái le shuǐ. Yāoguài bǎ yìxiē shuǐ tǔ zài Tángsēng shēnshang, niàn le mó yǔ, ràng Tángsēng kànshàngqù xiàng yì zhī lǎohǔ. Guówáng de shìwèi men hěn kuài de pǎo qù yào shā sǐ lǎohǔ. Rúguǒ tāmen shā sǐ lǎohǔ, Tángsēng yě huì bèi shā sǐ. Dànshì Tángsēng yǒu Guāngmíng shén hé Hēi'àn shén de mìmì bǎohù, suǒyǐ tā méiyǒu shòushāng. Guò le yīhuǐ'er, guówáng gàosù tāmen búyào zài shìzhe shā sǐ lǎohǔ, tāmen bǎ lǎohǔ suǒ zài lóngzi lǐ.

Guówáng rènwéi yāoguài yǐjīng ràng tā kàndào Tángsēng zhēnde yàngzi, tā hěn gǎnxiè. Dànshì tā yě hěn lèi, suǒyǐ qù shuìjiào le. Zài shuìjiào yǐqián, tā ràng shíbā gè piàoliang de niánqīng nǚ pú rén sòng shíwù hé jiǔ gěi yāoguài. Yāoguài chī le hē le hěnduō dōngxī, tā hē zuì le. Tā tiào qǐlái, zhuā zhù zuìjìn de yí gè niánqīng nǚ pú rén, yǎo xià tā de tóu, chī le. Qítā shíqī gè niánqīng nǚ pú rén táozǒu le, dàn tāmen méiyǒu hǎnjiào, yīnwèi guówáng zhèngzài shuìjiào. Ránhòu yāoguài zuò le xiàlái, hē le

"好的。给我一杯干净的水。"一个仆人拿来了水。妖怪把一些水吐在<u>唐僧</u>身上，念了魔语，让<u>唐僧</u>看上去像一只老虎。国王的侍卫们很快地跑去要杀死老虎。如果他们杀死老虎，<u>唐僧</u>也会被杀死。但是<u>唐僧</u>有<u>光明</u>神和<u>黑暗</u>神的秘密保护，所以他没有受伤。过了一会儿，国王告诉他们不要再试着杀死老虎，他们把老虎锁在笼子[15]里。

国王认为妖怪已经让他看到<u>唐僧</u>真的样子，他很感谢。但是他也很累，所以去睡觉了。在睡觉以前，他让十八个漂亮的年轻女仆人送食物和酒给妖怪。妖怪吃了喝了很多东西，他喝醉了。他跳起来，抓住最近的一个年轻女仆人，咬下她的头，吃了。其他十七个年轻女仆人逃走了，但他们没有喊叫，因为国王正在睡觉。然后妖怪坐了下来，喝了

---

15 笼子　lóngzi - cage

gèng duō de jiǔ, bǎ sǐ le de niánqīng nǚ pú rén dōu chī diào le.

Rénmen pǎo chū gōngdiàn, zhège gùshì hěn kuài cóng yí gè rén chuán dào le lìng yí gè rén. Hěn kuài chuán dào le bǎng Tángsēng báimǎ de xiǎo jiǔdiàn. Xiànzài, qǐng jì zhù, bái mǎ qíshí shì xīhǎi Lóng wáng de érzi. Guānyīn ràng tā bǎ Tángsēng dài dào xīfāng. Nà mǎ zhīdào, zhǐyǒu tā kěyǐ bāngzhù Tángsēng. Tā biàn huí lóng de yàngzi, ránhòu pǎo jìn wánggōng hé yāoguài zhàndòu.

Lóng hé yāoguài zhàndòu, dànshì lóng méiyǒu yāoguài nàyàng qiángdà. Yāoguài bǎ jiàn xiàng lóng rēng qù, dǎ zài lóng de tuǐ shàng. Lóng yòng sān zhī jiǎo pǎo chūqù. Tā pǎo huí xiǎo jiǔdiàn, biàn huí dào yī pǐ mǎ, dào xià shuìjiào.

Xiànzài, ràng wǒmen huí dào zài shùlín lǐ shuìjiào de Zhū. Tā yǐjīng shuì le hěn cháng shíjiān. Tā bù zhīdào Tángsēng bèi suǒ zài lóngzi lǐ, Shā Wùjìng bèi kǔn zài yāoguài de fángzi lǐ. Tā juédìng qù zhǎo Shā. Suǒyǐ tā huí dào xiǎo jiǔdiàn. Tā méiyǒu kànjiàn Shā,

更多的酒，把死了的年轻女仆人都吃掉了。

人们跑出宫殿，这个故事很快从一个人传[16]到了另一个人。很快传到了绑唐僧白马的小酒店。现在，请记住，白马其实是西海龙王的儿子。观音让他把唐僧带到西方。那马知道，只有他可以帮助唐僧。他变回龙的样子，然后跑进王宫和妖怪战斗。

龙和妖怪战斗，但是龙没有妖怪那样强大。妖怪把剑向龙扔去，打在龙的腿上。龙用三只脚跑出去。他跑回小酒店，变回到一匹马，倒下睡觉。

现在，让我们回到在树林里睡觉的猪。他已经睡了很长时间。他不知道唐僧被锁在笼子里，沙悟净被捆在妖怪的房子里。他决定去找沙。所以他回到小酒店。他没有看见沙，

---

16 传　　chuán – to pass on, transmit

dànshì tā kàndào le zài dìshàng de báimǎ, tuǐ shòushāng le. "Zěnmele?" Tā wèn bái mǎ. Mǎ bǎ gōngdiàn lǐ de shì gàosù le Zhū.

"Hǎo ba, jiù nàyàng ba." Zhū shuō. "Suǒyǒu dōu jiéshù le. Nǐ yīnggāi huí dào xīhǎi de jiā. Wǒ xiǎng wǒ huì huí dào Gāo Lǎo Zhuāng de jiā, kànkan wǒ de qīzi shì bùshì hái zài nàlǐ."

Mǎ kāishǐ kū le qǐlái. "Gēge, qǐng búyào fàngqì. Wǒ zhīdào nǐ xiǎng yào jiù wǒmen de shīfu. Zhǐyǒu yí gè rén kěyǐ bāngzhù tā. Nǐ bìxū qù Huā Guǒ shān, qǐng Sūn Wùkōng lái bāngzhù."

"Tā bú huì lái de. Tā hái zài gēn wǒ shēngqì. Tā kěnéng huì yòng tā de bàng dǎ wǒ, shā wǒ."

"Tā bú huì dǎ nǐ. Qù gàosù tā, wǒmen de shīfu xiǎng tā le. Dāng tā lái dào zhèlǐ, kàndào wǒmen shīfu fāshēng le shénme shì, tā huì duì yāoguài shēngqì, tā huì zhàogù suǒyǒu de shì

但是他看到了在地上的白马，腿受伤了。

"怎么了？"他问白马。马把宫殿里的事告诉了<u>猪</u>。

"好吧，就那样吧。"<u>猪</u>说。"所有都结束了。你应该回到西海的家。我想我会回到<u>高老庄</u>的家，看看我的妻子是不是还在那里。"

马开始哭了起来。"哥哥，请不要放弃。我知道你想要救我们的师父。只有一个人可以帮助他。你必须去<u>花果</u>山，请<u>孙悟空</u>来帮助。"

"他不会来的。他还在跟我生气。他可能会用他的棒打我，杀我。"

"他不会打你。去告诉他，我们的师父想他了。当他来到这里，看到我们师父发生了什么事，他会对妖怪生气，他会照顾所有的事

qíng!"

"Hǎo de, wǒ huì shìshì. Dànshì rúguǒ hóuzi bù huílái, wǒ yě bú huì huílái."

Ránhòu zhū fēi dào yún shàng qù le Huāguǒ shān. Wǎng xià kàn, tā kàndào Sūn Wùkōng zuò zài yīkuài dà shítou shàng. Tā zhōuwéi yǒu jǐ qiān zhī hóuzi, dà hǎn "dà shèng yéyé wànsuì!" Zhū pà Sūn Wùkōng, suǒyǐ tā méiyǒu zǒu jìn tā. Zhǐ shì zuò zài suǒyǒu hóuzi zhōngjiān, dīzhe tóu. Dànshì Sūn Wùkōng kànjiàn le tā, shuō: "Bǎ nàgè dà gèzi dài dào qiánmiàn!" Suǒyǒu de xiǎo hóuzi bǎ Zhū tuī dào qiánmiàn. Zhū yìzhí dīzhe tóu. "Nǐ shì shúi?" Sūn Wùkōng wèn.

"Shénme, nǐ bú rènshí wǒ? Nǐ hé wǒ yǐjīng shì duōnián de xiōngdì le." Tā táiqǐ tóu.

"A. Wǒ de péngyǒu Zhū Bājiè! Nǐ wèishéme lái zhèlǐ? Nǐ de shīfu yě duì nǐ shēngqì le ma?"

情！"

"好的，我会试试。但是如果猴子不回来，我也不会回来。"

然后<u>猪</u>飞到云上去了<u>花果</u>山。往下看，他看到<u>孙悟空</u>坐在一块大石头上。他周围有几千只猴子，大喊 "大圣爷爷万岁！"<u>猪</u>怕<u>孙悟空</u>，所以他没有走近他。只是坐在所有猴子中间，低着头。但是<u>孙悟空</u>看见了他，说："把那个大个子带到前面！"所有的小猴子把<u>猪</u>推到前面。<u>猪</u>一直低着头。"你是谁？"<u>孙悟空</u>问。

"什么，你不认识我？你和我已经是多年的兄弟了。"他抬起头。

"啊。我的朋友<u>猪八戒</u>！你为什么来这里？你的师父也对你生气了吗？"

"Méiyǒu, tā méiyǒu shēngqì. Dànshì tā zài xiǎng nǐ."

"Hǎo ba, wǒmen xiànzài búyòng dānxīn tā. Guòlái, kànkan wǒ měilì de jiā!" Sūn Wùkōng kāishǐ zài shānzhōng zǒu, gàosù Zhū Huāguǒ shān shàng suǒyǒu kě'ài de dōngxī. Yìxiē xiǎo hóuzi ná le shuǐguǒ gěi liǎng gè xiōngdì chī.

Guò le yīhuǐ'er, Zhū shuō: "Gēge, zhè shì yígè měilì de dìfāng. Dànshì wǒmen de shīfu zài děng wǒmen."

"Wǒ wèishéme yào líkāi? Zhège dìfāng shì wǒ de jiā. Rúguǒ nǐ yuànyì, qǐng líkāi, dàn wǒ bú huì gēn nǐ zǒu."

Zhū kāishǐ shēngqì, duì Sūn Wùkōng dà hǎn dà jiào. Dāngrán, hóu wáng bù xǐhuān zhèyàng. Tā shuō: "Nǐ zhè pàng kǔlì, wèishéme yào mà wǒ?" Ránhòu, tā gàosù xiǎo hóuzi zhuā zhù Zhū, bǎ tā dài dào Shuǐlián dòng. Sūn Wùkōng náqǐ yì tiáo biānzi, zhǔnbèi biāndǎ Zhū.

"Gēge," Zhū hǎn dào. "Wèi le wǒmen de shīfu, wèi

"没有，他没有生气。但是他在想你。"

"好吧，我们现在不用担心他。过来，看看我美丽的家！"<u>孙悟空</u>开始在山中走，告诉<u>猪花果</u>山上所有可爱的东西。一些小猴子拿了水果给两个兄弟吃。

过了一会儿，<u>猪</u>说："哥哥，这是一个美丽的地方。但是我们的师父在等我们。"

"我为什么要离开？这个地方是我的家。如果你愿意，请离开，但我不会跟你走。"

<u>猪</u>开始生气，对<u>孙悟空</u>大喊大叫。当然，猴王不喜欢这样。他说："你这胖苦力，为什么要骂我？"然后，他告诉小猴子抓住<u>猪</u>，把他带到<u>水帘洞</u>。<u>孙悟空</u>拿起一条鞭子，准备鞭打<u>猪</u>。

"哥哥，"<u>猪</u>喊道。"为了我们的师父，为

le fózǔ, qǐng yuánliàng wǒ ba!"

Dāng Sūn Wùkōng tīngdào fózǔ de míngzì shí, tā fàngxià biānzi shuō: "Xiōngdì, wǒ xiànzài bù biāndǎ nǐ. Dànshì nǐ bìxū wánquán duì wǒ shuō zhēn huà. Wǒmen de shīfu zài nǎlǐ, tā zěnmele?"

Suǒyǐ Zhū gàosù le Sūn Wùkōng hěn cháng de gùshì. Nǐ dāngrán zhīdào zhège gùshì: Tángsēng, Zhū hé Shā lái dào le sēnlín. Zhū qù yàofàn, lèi le, shuì le yīhuǐ'er. Shā qù zhǎo Zhū; Tángsēng yí gè rén qù zǒulù, fāxiàn le jīnsè bǎotǎ hé yāoguài. Yāoguài zhuā zhù le Tángsēng, xiǎng chī tā. Zhū hé Shā zhǎodào le bǎotǎ, hé yāoguài zhàndòu. Tángsēng yùdào le gōngzhǔ, gōngzhǔ ràng yāoguài fàng le Tángsēng. Tángsēng ná le gōngzhǔ de xìn gěi le guówáng. Yāoguài biàn chéng le yí gè hǎokàn de nánrén, qù jiàn le guówáng. Yāoguài bǎ Tángsēng biàn chéng le lǎohǔ. Yāoguài hē zuì le, chī le yí gè niánqīng nǚ pú rén, dǎ shāng le bái mǎ. Zuìhòu, bái mǎ ràng Zhū lái qǐng Sūn Wùkōng bāngzhù.

了佛祖，请原谅我吧！"

当孙悟空听到佛祖的名字时，他放下鞭子说："兄弟，我现在不鞭打你。但是你必须完全对我说真话。我们的师父在哪里，他怎么了？"

所以猪告诉了孙悟空很长的故事。你当然知道这个故事：唐僧，猪和沙来到了森林。猪去要饭，累了，睡了一会儿。沙去找猪；唐僧一个人去走路，发现了金色宝塔和妖怪。妖怪抓住了唐僧，想吃他。猪和沙找到了宝塔，和妖怪战斗。唐僧遇到了公主，公主让妖怪放了唐僧。唐僧拿了公主的信给了国王。妖怪变成了一个好看的男人，去见了国王。妖怪把唐僧变成了老虎。妖怪喝醉了，吃了一个年轻女仆人，打伤了白马。最后，白马让猪来请孙悟空帮助。

Ránhòu, Zhū zài gùshì zhōng jiā le yìxiē xīn de dōngxī.

Tā shuō: "Gēge, wǒ gàosù yāoguài guānyú nǐ de shì.

Wǒ shuō nǐ shì yí gè hěn qiángdà de zhànshì, nǐ huì lái

shā le tā de. Dànshì yāoguài zhǐshì xiàozhe shuō: 'Ràng

tā lái. Wǒ huì hěn kuài hěn róngyì de shā sǐ tā. Wǒ huì

chī tā de xīn. Hóuzi de shēntǐ yòu xiǎo yòu shòu,

dànshì wǒ huì bǎ tā kǎn le, fàng jìn yóu guō, wǎnfàn

shí bǎ tā chī diào.' "

Hǎo ba, wǒ de háizi, nǐ zhīdào hòulái fāshēng le

shénme! Sūn Wùkōng fēicháng shēngqì, tā kāishǐ tiào

shàng tiào xià, huīzhe tā de bàng. Ránhòu tā shuō:

"Wǒ xiànzài jiù qù. Wǒ huì zhuā zhù nàgè yāoguài, shā

sǐ tā!"

"Hǎo zhǔyì," Zhū shuō. "Nǐ yīnggāi qù shā sǐ nàgè

yāoguài. Wǒ huì zài zhèlǐ děng nǐ. Zhèlǐ de shuǐguǒ hěn

hǎo chī."

"Bù. Nǐ gēnzhe wǒ. Wǒ yào ràng nǐ kàn zhège."

Ránhòu Sūn Wùkōng zhuā zhù Zhū de shǒubì, tāmen

yìqǐ fēi guo dàhǎi lái

然后，<u>猪</u>在故事中加了一些新的东西。他说："哥哥，我告诉妖怪关于你的事。我说你是一个很强大的战士，你会来杀了他的。但是妖怪只是笑着说：'让他来。我会很快很容易地杀死他。我会吃他的心。猴子的身体又小又瘦，但是我会把它砍了，放进油锅，晚饭时把它吃掉。'"

好吧，我的孩子，你知道后来发生了什么！<u>孙悟空</u>非常生气，他开始跳上跳下，挥着他的棒。然后他说："我现在就去。我会抓住那个妖怪，杀死他！"

"好主意，"<u>猪</u>说。"你应该去杀死那个妖怪。我会在这里等你。这里的水果很好吃。"

"不。你跟着我。我要让你看这个。"然后<u>孙悟空</u>抓住<u>猪</u>的手臂，他们一起飞过大海来

dào Báihǔ shān. Sūn Wùkōng dītóu kàndào le jīnsè
bǎotǎ. Tā duì Zhū shuō, "nǐ zài yún zhōng děngzhe.
Wǒ yào qù bǎotǎ. Wǒ zhīdào yāoguài búzài jiālǐ, dàn
wǒ xūyào zài nàlǐ ná xiē dōngxī." Ránhòu tā tiào dào
dìshàng, bào le yāoguài de liǎng gè xiǎohái. Tā hái zǒu
jìn wūzi, zhǎodào le Shā, gàosù tā dào wàimiàn qù.
Ránhòu tā gàosù Zhū hé Shā, bǎ liǎng gè nánhái dài
dào guówáng de gōngdiàn, gàosù yāoguài tāmen
yǐjīng dào le.

Suǒyǐ Zhū hé Shā qù le guówáng de gōngdiàn. Tāmen
xiān bǎ nánháizi liú zài shùlín lǐ. Ránhòu zhū dǎ zài
gōngdiàn de mén shàng, hǎn dào: "Hēi, yāoguài!
Wǒmen shì Tángsēng de liǎng gè túdì. Wǒmen huílái
le, nǐ de liǎng gè háizi zài wǒmen zhèlǐ!" Yāoguài
tīngdào le zhège, pǎo le chūqù. Tā kàndào le Zhū hé
Shā, dànshì méiyǒu kàn dào háizi. Tā bùxiǎng hé Zhū
hé Shā dǎ, yīnwèi tā hē le jiǔ, chī le niánqīng de nǚ pú
rén yǐhòu, háishì gǎndào bù shūfú. Suǒyǐ tā hěn kuài
tiào dào tiānshàng, fēi huí dòng lǐ, kànkan tā de nán
hái shì bùshì zài

到白虎山。孙悟空低头看到了金色宝塔。他对猪说，"你在云中等着。我要去宝塔。我知道妖怪不在家里，但我需要在那里拿些东西。"然后他跳到地上，抱了妖怪的两个小孩。他还走进屋子，找到了沙，告诉他到外面去。然后他告诉猪和沙，把两个男孩带到国王的宫殿，告诉妖怪他们已经到了。

所以猪和沙去了国王的宫殿。他们先把男孩子留在树林里。然后猪打在宫殿的门上，喊道："嘿[17]，妖怪！我们是唐僧的两个徒弟。我们回来了，你的两个孩子在我们这里！"妖怪听到了这个，跑了出去。他看到了猪和沙，但是没有看到孩子。他不想和猪和沙打，因为他喝了酒，吃了年轻的女仆人以后，还是感到不舒服。所以他很快跳到天上，飞回洞里，看看他的男孩是不是在

---

17 嘿　　hēi – hey!

nàlǐ.

Dāng fāshēng zhèxiē shìqíng shí, Sūn Wùkōng zhèngzài hé gōngzhǔ shuōhuà. Tā gàosù tā, tā de zhàngfu yào huílái le, tā huì hěn shēngqì. Sūn Wùkōng ràng gōngzhǔ qù sēnlín lǐ. Ránhòu tā biàn le zìjǐ de yàngzi, ràng tā kànqǐlái xiàng gōngzhǔ. Ránhòu tā děngzhe.

Yāoguài hěn kuài jiù huílái le. Tā kàndào yí gè kàn qǐlái xiàng tā qīzi de nǚrén. Tā zài kū. "Qīzi, nǐ wèishéme kū?" Tā wèn.

"Ō, qīn'ài de zhàngfu," Sūn Wùkōng shuō, "jīntiān zǎoshang, nà zhī hěn chǒu de zhū huílái le. Tā dài le lìng yí gè héshàng, tā dài zǒu le wǒmen de liǎng gè háizi!"

"Bié dānxīn, qīn'ài de. Wǒ huì qù bǎ wǒmen de liǎng gè nánhái dài huílái. Wǒ yě huì shā sǐ nàxiē héshàng."

"Wǒ bù zhème rènwéi," Sūn Wùkōng shuō. Ránhòu tā biàn huí

那里。

当发生这些事情时，<u>孙悟空</u>正在和公主说话。他告诉她，她的丈夫要回来了，他会很生气。<u>孙悟空</u>让公主去森林里。然后他变了自己的样子，让他看起来像公主。然后他等着。

妖怪很快就回来了。他看到一个看起来像他妻子的女人。她在哭。"妻子，你为什么哭？"他问。

"噢，亲爱的丈夫，"<u>孙悟空</u>说，"今天早上，那只很丑的猪回来了。他带了另一个和尚，他带走了我们的两个孩子！"

"别担心，亲爱的。我会去把我们的两个男孩带回来。我也会杀死那些和尚。"

"我不这么认为，"<u>孙悟空</u>说。然后他变回

dào zìjǐ běnlái de yàngzi. "Xiànzài, nǐ rènshí wǒ ma?"

Yāoguài chījīng de kàndào tā měilì de qīzi biàn chéng le chǒu hóuzi. Dànshì tā rènzhēn de kànzhe Sūn Wùkōng. "Qíshí, wǒ xiǎng wǒ shì rènshí nǐ de."

"Nǐ dāngrán bú rènshí wǒ. Wǒ shì Tángsēng zuìdà de túdì. Wǒ jiào Sūn Wùkōng, Qí Tiān Dà Shèng, wǒ yǐjīng wǔbǎi duō suì le. Wǒ xǐhuān shā yāoguài. Yīnwèi zhège, wǒ shīfu duì wǒ bù kāixīn, tā ràng wǒ líkāi. Dànshì, nǐ zhīdào nà yī jù lǎohuà: "Bàba hé érzi bù kāixīn de shìqíng, guò le yí yè jiù méiyǒu le." Wǒ tīngshuō nǐ dǎsuàn shānghài wǒ de shīfu, suǒyǐ wǒ huílái le. Xiànzài, wǒ bù xūyào shā le nǐ. Zhǐshì yào bǎ nǐ de tóu fàng zài zhèlǐ. Wǒ huì yòng wǒ de bàng dǎ nǐ yí cì, wǒ rènwéi zhè jiù jiéshù le."

Dāngrán, yāoguài méiyǒu bǎ tā de tóu fàng zài nàlǐ. Tā zhīdào Sūn Wùkōng hěn lìhài. Suǒyǐ, tā jiào le zhù zài lí tā de dòng

到自己本来的样子。"现在，你认识我吗？"

妖怪吃惊地看到他美丽的妻子变成了丑猴子。但是他认真地看着孙悟空。"其实，我想我是认识你的。"

"你当然不认识我。我是唐僧最大的徒弟。我叫孙悟空，齐天大圣，我已经五百多岁了。我喜欢杀妖怪。因为这个，我师父对我不开心，他让我离开。但是，你知道那一句老话："爸爸和儿子不开心的事情，过了一夜就没有了。"我听说你打算伤害我的师父，所以我回来了。现在，我不需要杀了你。只是要把你的头放在这里。我会用我的棒打你一次，我认为这就结束了。"

当然，妖怪没有把他的头放在那里。他知道孙悟空很厉害。所以，他叫了住在离他的洞

yībǎi lǐ wài de suǒyǒu yāoguài, ràng tāmen bāngzhù tā dǎbài Sūn Wùkōng. Bùjiǔ, Sūn Wùkōng kàndào sìzhōu de yāoguài, dōu xiǎng shā sǐ tā. Zhè ràng tā fēicháng gāoxìng! Tā biàn le zìjǐ de yàngzi, ràng tā yǒu liù zhī shǒubì hé sān gètóu, tā yòng sāngēn bàng hé yāoguài zhàndòu.

Jīngguò le hěn cháng shíjiān de zhàndòu. Zuìhòu, Sūn Wùkōng shā sǐ le suǒyǒu yāoguài, chú le huáng yī yāoguài. Wèile jiéshù zhàndòu, tā yòng "yè xià tōu táozi" de bànfǎ, bǎ bàng dǎ xiàng yāoguài de tóu. Dànshì yāoguài méiyǒu sǐ. Tā zhǐshì bújiàn le. Sūn Wùkōng yí gè rén zhàn zài nàlǐ.

Tā xiàng xià kàn, dàn méiyǒu kàndào rènhé xiě. Ránhòu tā tiào dào yún shàng, xiàng sì gè fāngxiàng kàn, dànshì tā méiyǒu kàndào yāoguài. Ránhòu tā duì zìjǐ shuō: "Nàgè yāoguài shuō tā rènshi wǒ. Zěnme kěnéng? Kěnéng wǔbǎi nián qián wǒ zài tiāngōng jiànguò tā. Kěnéng tā shì tiāngōng lǐ de shén."

一百里外的所有妖怪，让他们帮助他打败孙悟空。不久，孙悟空看到四周的妖怪，都想杀死他。这让他非常高兴！他变了自己的样子，让他有六只手臂和三个头，他用三根棒和妖怪战斗。

经过了很长时间的战斗。最后，孙悟空杀死了所有妖怪，除了黄衣妖怪。为了结束战斗，他用"叶下偷[18]桃子"的办法，把棒打向妖怪的头。但是妖怪没有死。他只是不见了。孙悟空一个人站在那里。

他向下看，但没有看到任何血。然后他跳到云上，向四个方向看，但是他没有看到妖怪。然后他对自己说："那个妖怪说他认识我。怎么可能？可能五百年前我在天宫见过他。可能他是天宫里的神。"

---

[18] 偷　　tōu – to steal

不久，孙悟空看到四周的妖怪，都想杀死他。

Bùjiǔ, Sūn Wùkōng kàndào sìzhōu de yāoguài, dōu xiǎng shā sǐ tā.

Soon Sun Wukong saw monsters in all directions, all wanting to kill him.

Tā yòng Jīndǒu Yún fēi dào le tiāngōng de nán mén, ránhòu zǒu jìn le Guāngmíng Diàn. Yí wèi tiānshàng de dàshī wèn tā: "Dà shèng, nǐ wèishéme zài zhèlǐ?"

"Wǒ zài bāngzhù Tángsēng qù xītiān. Wǒmen dào le Bǎo Xiàng wángguó, hé yí gè yāoguài yǒu le yìdiǎn máfan. Dànshì tā bùjiàn le, wǒ zhǎobùdào tā. Wǒ rènwéi tā búshì dìshàng de yāoguài. Wǒ xiǎng tā shì cóng zhèlǐ lái de. Nǐmen yǒu méiyǒu shǎo le rènhé yāoguài, shén huò shénxiān ma?"

Tiānshàng de dàshī jiǎnchá le suǒyǒu de shénxiān, shénxiān men dōu zài tiāngōng lǐ. Tāmen jiǎnchá le suǒyǒu shān shén, hé shén, tiān shén, tàiyáng shén hé yuèliàng shén, dànshì měi gè shén dōu zài nàlǐ. Ránhòu tāmen jiǎnchá le èrshíbā gè xīng sù. Dànshì tāmen zhǐ néng zhǎodào èrshíqī gè. Kuí xīng, Kuí Mùláng, bújiàn le. Měi gè shén dōu xūyào měi sān tiān jiǎnchá yí cì. Dàn zuìhòu sì cì dōu méiyǒu jiǎnchá dào Kuí xīng, zài jiā zuótiān.

他用筋斗云飞到了天宫的南门，然后走进了光明殿。一位天上的大师问他："大圣，你为什么在这里？"

"我在帮助唐僧去西天。我们到了宝象王国，和一个妖怪有了一点麻烦。但是他不见了，我找不到他。我认为他不是地上的妖怪。我想他是从这里来的。你们有没有少了任何妖怪，神或神仙吗？"

天上的大师检查了所有的神仙，神仙们都在天宫里。他们检查了所有山神，河神，天神，太阳神和月亮神，但是每个神都在那里。然后他们检查了二十八个星宿[19]。但是他们只能找到二十七个。奎星，奎木狼，不见了。每个神都需要每三天检查一次。但最后四次都没有检查到奎星，再加昨天。

---

[19] 宿   sù – constellation

Sì chéng sān shì shí èr, shí'èr jiā yī shì shísān.

Tiānshàng de dàshī qù le gōngdiàn, gàosù Yùhuáng
Dàdì, yǐjīng yǒu shísān tiān méiyǒu kànjiàn Kuí xīng le.
Tiānshàng de yì tiān shì dìshàng yì nián, suǒyǐ Kuí xīng
yǐjīng zài dìshàng shēnghuó le shísān nián. Yùhuáng
Dàdì tīng le yǐhòu, dàshēng jiào Kuí xīng. Kuí xīng zài
rénjiān de pùbù xià. Dāng tā tīng dào Yùhuáng Dàdì
jiào tā de shíhòu, tā mǎshàng lái dào le gōngdiàn. Tā
jīngguò Sūn Wùkōng, Sūn Wùkōng xiǎng dǎ tā, dànshì
qítā de shénxiān zhuā zhù le tā de shǒubì. Kuí xīng
méiyǒu kàn Sūn Wùkōng. Tā jìxù jìnrù gōngdiàn, xiàng
Yùhuáng Dàdì jūgōng.

"Kuí," Yùhuáng Dàdì shuō. "Tiāngōng lǐ zhème měilì.
Nǐ wèishéme yào qù dìqiú?"

"Bìxià," Kuí xīng huídá: "Qǐng yuánliàng wǒ. Zài nǐ de
dà Xiāng diàn lǐ, yǒu yí gè hù xiāng yùnǔ. Wǒmen liǎng
gè ài shàng le. Dànshì zài tiāntáng lǐ, wǒmen bùnéng
zài yīqǐ. Suǒ

四乘[20]三是十二，十二加一是十三。

天上的大师去了宫殿，告诉玉皇大帝，已经有十三天没有看见奎星了。天上的一天是地上一年，所以奎星已经在地上生活了十三年。玉皇大帝听了以后，大声叫奎星。奎星在人间的瀑布下。当他听到玉皇大帝叫他的时候，他马上来到了宫殿。他经过孙悟空，孙悟空想打他，但是其他的神仙抓住了他的手臂。奎星没有看孙悟空。他继续进入宫殿，向玉皇大帝鞠躬。

"奎，"玉皇大帝说。"天宫里这么美丽。你为什么要去地球？"

"陛下，"奎星回答："请原谅我。在你的大香殿里，有一个护[21]香玉女。我们俩个爱上了。但是在天堂里，我们不能在一起。所

---

[20] 乘　　chéng – to multiply
[21] 护　　hù – to take care of

yǐ, tā xià dào dìqiú shàng, qǔ le nǚhái de yàngzi, tā shì guówáng de dì sān gè nǚ'ér. Wǒ yě xià dào dìqiú shàng, qǔ le Báihǔ shān shàng de huáng yī yāoguài de yàngzi. Wǒ zhǎodào le gōngzhǔ, wǒmen jiéhūn le, wǒmen zài yīqǐ xìngfú de shēnghuó le shísān nián."

Yùhuáng Dàdì gàosù tā, tā bùnéng zài zuò xīngsù de gōngzuò le. Tā de xīn gōngzuò shì chéngwéi Lǎozi jiāzhōng yí gè dī jíbié de shāohuǒ rén. Kuí xīng dīdī de jūgōng, líkāi le gōngdiàn.

Sūn Wùkōng yě xiàng Yùhuáng Dàdì jūgōng, zhuǎnshēn líkāi le. Yùhuáng Dàdì xiào le xiào, duì tiānshàng de dàshī shuō: "Ràng wǒmen gāoxìng de shì, tā hěn kuài líkāi, méiyǒu zài tiāngōng lǐ zhǎo rènhé máfan."

Sūn Wùkōng huí dào dìqiú. Tā yùdào le Zhū hé Shā, tāmen sān gè yìqǐ huí dào le guówáng de gōngdiàn. Tāmen jiàn le guówáng, wánghòu hé gōngzhǔ. Sūn Wùkōng jiǎng le tā qù tiāngōng de gùshì. Tā duì guówáng hé wánghòu shuō: "Xiànzài, nǐmen zhīdào nǐmen

以，她下到地球上，取了女孩的样子，她是国王的第三个女儿。我也下到地球上，取了<u>白虎</u>山上的黄衣妖怪的样子。我找到了公主，我们结婚了，我们在一起幸福地生活了十三年。"

<u>玉皇大帝</u>告诉他，他不能再做星宿的工作了。他的新工作是成为<u>老子</u>家中一个低级别的烧火人。<u>奎星</u>低低地鞠躬，离开了宫殿。

<u>孙悟空</u>也向<u>玉皇大帝</u>鞠躬，转身离开了。<u>玉皇大帝</u>笑了笑，对天上的大师说："让我们高兴的是，他很快离开，没有在天宫里找任何麻烦。"

<u>孙悟空</u>回到地球。他遇到了<u>猪</u>和<u>沙</u>，他们三个一起回到了国王的宫殿。他们见了国王，王后和公主。<u>孙悟空</u>讲了他去天宫的故事。他对国王和王后说："现在，你们知道你们

de nǚ'ér qíshí shì tiāngōng zhōng Xiāng diàn lǐ de yí gè hù xiāng nǚhái. Nǐmen de nǚ'ér yǒu liǎng gè nánhái. Xiànzài, ràng wǒmen qù jiē huí wǒmen de shīfu."

Tāmen dōu qù zhǎo suǒ zài lóngzi lǐ de lǎohǔ. Měi gè rén dōu kàndào le lǎohǔ, dànshì Sūn Wùkōng kàndào tā qíshí shì Tángsēng. "Shīfu," tā xiàozhe, "yībān shuō, nǐ shì yí gè hǎo héshàng. Wèishéme nǐ xiànzài kàn qǐlái xiàng lǎohǔ?" Ránhòu tā ná le yìxiē shuǐ, zài lǎohǔ de liǎn shàng tǔ le yìdiǎn shuǐ. Lǎohǔ mǎshàng biàn huí dào Tángsēng.

Tángsēng jiàndào Sūn Wùkōng hěn gāoxìng! Tā shuō: "Túdì, nǐ zài yí cì jiù le wǒ. Wǒ xīwàng wǒmen hěn kuài jiù néng dào xīfāng. Ránhòu wǒmen huí dào dōngfāng, wǒ huì gàosù Táng huángdì nǐ zuò dé hěn hǎo."

"Bié shuō le," Sūn Wùkōng huídá. "Bié zài duì wǒ shuō nàge mó yǔ le, wǒ jiù huì hěn gāoxìng."

Ránhòu guówáng jǔxíng yí cì sùshí dà yàn, nà li yǒu hěn

的女儿其实是天宫中香殿里的一个护香女孩。你们的女儿有两个男孩。现在，让我们去接回我们的师父。"

他们都去找锁在笼子里的老虎。每个人都看到了老虎，但是<u>孙悟空</u>看到它其实是<u>唐僧</u>。"师父，"他笑着，"一般说，你是一个好和尚。为什么你现在看起来像老虎？"然后他拿了一些水，在老虎的脸上吐了一点水。老虎马上变回到<u>唐僧</u>。

<u>唐僧</u>见到<u>孙悟空</u>很高兴！他说："徒弟，你再一次救了我。我希望我们很快就能到西方。然后我们回到东方，我会告诉<u>唐</u>皇帝你做得很好。"

"别说了，"<u>孙悟空</u>回答。"别再对我说那个魔语了，我就会很高兴。"

然后国王举行一次素食大宴，那里有很

duō chī de, hē de, chànggē hé jiǎng gùshì. Dì èr tiān, sì

gè yóurén hé tāmen de mǎ zàicì xiàng xī zǒu qù.

多吃的，喝的，唱歌和讲故事。第二天，四个游人和他们的马再次向西走去。

THE MONSTER'S SECRET

My dear child, tonight I will tell you another story about Tangseng, his three disciples, and their journey to the west.

Their journey from China to India was very difficult. The travelers walked westward along the great Silk Road for several months. They were cold, they were tired, they were hungry, and they were all becoming a little grumpy.

One day they arrived at a very tall mountain covered with forest. They all looked up at the mountain. The top was so high that it was in the clouds. In the forest they could see many animals. Sun Wukong saw that Tangseng was afraid of the animals, so he shouted loudly and the animals all ran away.

They kept walking. Later that same day, they arrived at the top of the mountain. Tangseng said to Sun Wukong, "I am tired and hungry. Go and beg some vegetarian food for us."

Sun Wukong looked at him and said, "Master, you are not very smart. We are on top of a mountain, far from any village. There is no inn and no people. How can I get food?"

"You difficult monkey!" replied Tangseng. "Don't you remember when you were under the mountain for five hundred years? Who helped you get out of there? I did! Now you are my disciple, and your life belongs to me.

But you will not even go and get some food for us. You don't help us at all!"

"I do help you! I work hard for you every day."

"Then go and get us some food. I am very tired and very hungry. And the air on this mountain is not good. I am starting to feel a little sick. Go now!"

"Master, please don't get upset. Just get off your horse, sit down, and rest for a while. I will find someone to give us some good food." Sun Wukong jumped up to the clouds. Shading his diamond eyes with his hand, he looked in all four directions. He saw many trees and many animals, but no people and no houses. But far away, to the south, he saw a little bit of red color on the ground.

He returned to Tangseng and said, "Master, there are no people near here. But to the south I see some red. I think there are some ripe peaches there. I will go and get them." He did a cloud somersault and flew off to pick up some peaches.

My child, you know the old saying, 'A tall mountain will always have monsters'. I have told you many stories, and often there is a monster in the mountains. Well, this story is no different! There really was a monster living on this mountain. The monster was flying through the clouds when she saw Sun Wukong flying off to the south. Then she looked down and saw Tangseng sitting on the ground. She was very happy to see him! She said to herself, "I have heard stories of a Tang monk from the east who was going to the Western Heaven. I have heard that anyone who eats his flesh will gain long life. And now I see him, sitting all alone on my mountain!"

But when she came closer, she saw two powerful warriors standing near Tangseng and protecting him. Of course, these were two of Tangseng's disciples, the pig-man Zhu Bajie and the big man Sha Wujing. She was a little bit afraid of these two, so she changed into a beautiful young woman. Her face was like the moon, and her eyes were as bright as stars. She was barefoot and wore a silk robe. In her hand she held a small blue pot.

Tangseng was resting on the ground when he saw the young woman. He called out, "Zhu, Sha, I thought Sun Wukong said that there were no people in this region. But I see a person walking towards us."

Zhu Bajie was the senior disciple while Sun Wukong was away. He said to Tangseng, "Master, you sit here with Sha. Let this old pig take a look."

Zhu walked up to her and said, "My lady, where are you going? What are you holding in your hands?"

"Elder, in this pot I have some very tasty rice. I want to give it to you and the other monks."

Zhu was happy to hear this, because he is always hungry. So he ran back to Tangseng, shouting, "Master, we don't have to be hungry anymore. Don't wait for Sun Wukong's peaches. He will be gone for a long time, if he comes back at all. Also, if you eat too many peaches you will get sick. This beautiful woman has some tasty rice for us."

So Tangseng and Zhu went to see the woman. Of course, she was really a monster, but Tangseng and Zhu were very hungry, so they did not see this. They only saw a woman. "Lady," said Tangseng, "where do you live? What is your family? And why have you come here to give rice to hungry monks?"

"Master," she said, "you are on White Tiger Mountain. I live nearby with my parents and my husband. My parents have no son, and I am their only daughter. They wanted me to marry, but they also wanted someone to take care of them when they got old. So they found a husband for me, and asked him to come and live in our house."

"Lady," said Tangseng, "if your words are true, then your husband should be the one walking around and feeding monks. You should not go out by yourself."

The woman smiled and replied, "You are right, Master. But today my husband is working on the northern side of the mountain, with several of his workers. I made this lunch for them. Nobody is at home except me and my parents, but they are old. So I must bring the food myself. But now that I have met you, I want to give some of this rice to you and the other monks."

"Ah, thank you, but I cannot eat this food. If I eat your husband's rice, what would he say? He would scold you.

This poor monk cannot become that kind of person!"

The young woman tried again to give the rice to Tangseng, but again he said no. Zhu was getting very hungry, and he said to himself, "There are many monks in the world, but none are as wishy-washy as my Master! Here is rice, ready to eat. But Master will not eat it. He wants to wait for that troublesome monkey to return. Then we will have one more mouth to feed, and we will have to divide the rice in four."

Just then, Sun Wukong returned. He flew through the sky, carrying a bag of peaches in one hand and his Golden Hoop Rod in the other. He looked down and saw the young woman. Right away he knew that she was a monster. He got ready to strike her with his rod. But Tangseng stopped him, saying, "Monkey, why do you want to hit this beautiful young woman? She only wants to help us!"

"Master," he said, "in the past you could see clearly, but today you have eyes but you cannot see. A long time ago, when I was a king in Flower Fruit Mountain, I did the same thing that this monster is doing now. If I was hungry and wanted to eat human flesh, I would change into a beautiful woman, or an old man, or a drunk. If someone was foolish and did not see my true nature, I would invite him to come back to my cave. Then I would cook and eat them!"

Tangseng did not believe these words. He did not believe that the beautiful woman was really a monster. So Sun

Wukong said, "Master, I understand. I think you have desire for this woman. If that is true, it is no problem. We three disciples can build a little house for the two of you, and you can be together, nobody will see you. You don't even need to be married first! Then when you are finished, we can continue our westward journey."

Tangseng's face turned red, his mouth opened, but he could not say anything. He just stood and looked at Sun Wukong. Sun Wukong used his golden hoop rod to strike the monster on the head. But the monster used the magic called 'releasing the corpse'. Her spirit flew into the sky so quickly that nobody could see her, and she left her body behind. It lay on the ground, dead.

Tangseng said, "Monkey, you killed that person without knowing anything about them."

"Master, come and look, see what is in that pot." He opened the pot and they all looked inside. There was no rice in the pot. There were just a lot of large worms.

Tangseng was surprised, and he thought that perhaps Sun Wukong was right. But Zhu caused trouble again. He said to Tangseng, "Master, this woman was just trying to help us. But the monkey was angry, as always. He wanted to hit someone with his rod, as always. So he killed the woman. Then he changed her tasty rice to a bunch of worms. Why? So you would not use the 'tight headband spell' on him!"

Tangseng believed Zhu's words. Right away he used the

'tight headband spell', and the magic headband on Sun Wukong's head became tight. His head started to hurt. "My head! My head!" he cried.

"Monkey, you must be kind to everyone. Do not hurt any living creature! You killed this beautiful woman, so you cannot stay with us. Go back to your home. I don't want you as a disciple. Leave us!"

"Master, if I am not here to protect you, you will not reach the Western Heaven!"

"My life is in the hands of heaven. If I must be food for a monster, it's ok with me. Now go."

"But I cannot leave you. You saved my life, and I must use my life to protect you. I cannot let you be in danger." When Tangseng heard these words, he changed his mind. He told Sun Wukong that he could stay.

The monster was sitting up in the clouds, listening to Tangseng and Sun Wukong. She was angry. She knew that if the monk ate even a little bit of the rice, she could take him back to her cave and eat him. But Sun Wukong stopped her. "That monkey is stronger and smarter than I thought," she said to herself. "I must go back and try again."

So she changed again. This time she changed into an eighty year old woman. She walked slowly through the forest and came to the place where Tangseng and his disciples were. Tangseng, Zhu Bajie and Sha Wujing all looked at her and saw an old woman. But Sun Wukong knew that she was really the same monster. So he did not say anything. He just used his rod again and struck the old woman on the head. The monster used the 'releasing the corpse' magic again. Her spirit flew into the air, and the body of the old woman lay on the ground, dead.

Tangseng saw this. He was so angry, he could not say anything to Sun Wukong. He just fell off his horse and lay on the ground. While he lay on the ground, he spoke the 'tight headband spell' twenty times. The magic headband around Sun Wukong's head became so tight that his head looked like a gourd. He was in great pain. "Stop it, Master!" he cried. "Just say what you must say to me."

"What can I say? I have tried to teach you, but you do not listen. You only want to hurt people. Today you have already killed two people. I cannot have you as a disciple any more. You must leave."

"Master, a long time ago I lived on Flower Fruit Mountain. I was the king of forty seven thousand little monkeys and the demons of seventy two caves. But then I met you and I became your disciple. I wear this headband on my head. If you want me to leave, I will leave. But please, speak the 'loose headband spell' so that I can take the headband off my head and go home again."

"Monkey, I learned the 'tight headband spell' from the great monk Guanyin. She did not teach me a 'loose headband spell'. I cannot take the headband off your head."

"Then you must keep me as a disciple."

"All right," Tangseng agreed. "But you must not hurt anyone again."

Sun Wukong helped Tangseng get up on his horse, and they prepared to travel west again. Up in the sky, the monster watched them. She said to herself, "I really want to eat that monk's flesh. I must do something soon, because if they travel a few miles more, they will leave my mountain and I will not be able to do anything to them." So she changed into an old man with a long white beard. He walked slowly, reciting Buddhist prayers to himself.

Tangseng saw the old man, and again, he could not see that the creature was really a monster. "Ah, look," he said, "this old man can hardly walk, but still he prays to the Buddha." Turning to the old man, he said, "Hello, Elder!"

The old man replied, "Holy monk, this old man has lived here for many years. All my life I have tried to do good. I give food to monks and I read the Buddha's holy books. But today has been a very bad day. My daughter left to take rice to her husband, but we have not seen her. Then my wife went to look for her, and I have not seen my wife either. I fear that they both have been eaten by tigers."

Sun Wukong just laughed and said, "You are not an old man. I can see you are a monster." And he prepared to strike the old man on the head with his rod. But then he stopped. He said to himself, "This is a problem. If I hit the old man, my Master will recite the 'tight headband spell'. But if I don't hit the old man, he will eat my Master. What should I do?"

Quickly, he called the local spirits of the mountain, and told them to watch the monster and catch its spirit if it left the old man's body. Then he used his rod to strike the old man on the head. The monster's spirit could not leave the body, so it stayed inside the old man's body, and died.

Tangseng, Zhu and Sha all saw this. Zhu said, "That monkey is really having a bad day. It's not even lunchtime and already he has killed three people!"

"Master," said Sun Wukong, "this was not a person. This was a monster. Come and look!" He led them over to look at the body, but there was no body, just a pile of white bones. "See? I killed it, and now you can see its true form."

But Zhu said, "Don't believe him, Master. He is just telling you a story. He changed the old man's body into a pile of bones. He really killed three people today."

Tanseng listened to Zhu's words, and looked at the bones. Then he said to Sun Wukong, "Monkey, you must go. The actions of a good man are like grass in the spring, there are more every day. But your actions are not like this at all. You have killed three people today, and we are in the mountains. What if we arrive at a city? Will you kill hundreds of people? No, you cannot be my disciple. Go now."

Sun Wukong said, "Master, your words hurt me. You listen to that foolish Zhu, but you have forgotten all the good things I did for you. Many times I saved you from monsters and demons. I gave you Zhu and Sha as junior disciples. But I see that you forgot all that. So if you want me to go, I will go."

Sun Wukong tried to bow to his master, but Tangseng turned away. So Sun Wukong took three hairs from his head, blew on them and said "Change!" They changed and they all looked just like Sun Wukong. The four monkeys surrounded Tangseng on all four sides, so he could not turn away. All four monkeys bowed low to Tangseng. Then Sun Wukong took the three hairs back into his body, jumped into the air, and flew away to Flower Fruit Mountain.

Tangseng mounted his horse and started walking west again. Zhu walked in front of him and Sha walked behind him. They entered a large and dark forest. Tangseng was afraid of the forest. He also was hungry. Since Sun Wukong was gone, he asked Zhu to find some vegetarian food. Zhu told him to wait and rest, then he picked up the begging bowl and walked west. He walked for several hours but he saw no villages, no houses, no people, and no food. He became tired and just wanted to sleep.

"If I return to Master with no food, he will be angry at

me," he said to himself. "I should just rest here for a little while, to pass the time. Then I will return later." He lay down to rest, but soon he fell into a deep sleep.

Tangseng was getting more and more hungry. "Where is that pig?" he asked Sha Wujing. "Master," said Sha, "that pig is always hungry, and always thinking only about himself. He is not thinking about you at all. He is probably eating all the food himself. When he is full, he will come back. Probably."

"You must try to find him," said Tangseng. So Sha Wujing picked up his staff and went into the forest to look for Zhu. Now Tangseng was alone in the forest. He waited for a short time. Then he got on his horse and started riding west, then he rode south, then he rode east. Soon he did not know where he was or which direction he was going. He kept riding. Soon he came to a beautiful golden pagoda. There were no trees near it, so the golden sunlight came down from the sky and make the pagoda shine brightly.

Tangseng dismounted from the white horse and tied it to a nearby tree. Then he walked into the pagoda. When he stepped inside, he saw an big old monster sleeping in a chair. The monster had a red face, a purple beard, and long white teeth. He wore an old yellow robe, and he was not wearing shoes. Tangseng turned and ran out the door. But the monster heard him. He woke up and shouted, "Little ones! Who is outside our door?"

A little demon replied, "Great king, it is a monk. His

body has a lot of tasty meat. I think he will make a good dinner for you."

"Bring him here!" shouted the monster. The little demons brought Tangseng back into the pagoda. Tangseng was very frightened. The monster said, "Where did you come from? Where are you going. Tell me quickly!"

Tangseng said that he was sent by the Tang Emperor to the Western Heaven, to find the Buddha's books and bring them back to the east.

The monster laughed and said, "I am happy that you are here. I want to eat you!" And he told the little demons to tie up Tangseng.

"Be careful, sir. I have two great and powerful warriors with me," said Tangseng.

"That is even better. You plus your two disciples equals three. And if I add your horse, that equals four! We can have a good meal." Then he told the little demons to close the door to the pagoda and wait for Tangseng's two disciples to arrive.

While this was happening, Sha Wujing searched the forest and finally he found Zhu Bajie. Zhu was still sleeping. Sha woke him, then they returned to the place where they had left Tangseng. Of course, Tangseng was not there. They started searching for him. After searching for an hour, they found the golden pagoda. "Wonderful!" said Zhu. "This place is beautiful. I think our master must be inside, eating lots of good vegetarian food. Let's get some for ourselves."

"I don't like the look of this place," replied Sha. "I think it the cave of a monster."

But Zhu did not listen to him. He walked right up to the door of the pagoda and shouted, "Open the door! Open the door!"

"Great king," said one of the little demons, "a monk has arrived. He ha large ears and a long mouth. And there is another very large monk with him. What should we do?"

"Our dinner has arrived! Invite them to come in!" said the monster. When Zhu and Sha came in, the monster said, "Where are you from, and why do you make so much noise outside my door? Please enter and eat some tasty buns filled with human flesh."

Zhu started to come inside. But quickly Sha said to him, "Elder brother, did you forget? You don't eat human flesh anymore!" Zhu felt as if he was waking up from a dream. He brought out his rake, and tried to strike the Yellow Robed Monster. The two of them rose up into the sky to fight. Sha joined the fight. They fought for a long time. Zhu used his nine-pronged rake, Sha used his staff, and the Yellow Robed Monster used his scimitar. They fought until the sky was filled with cloud and mist. Rocks broke, mountains fell down, but they continued to fight.

While they fought in the sky, Tangseng was sitting tied up

inside the pagoda. He could now see that it was a cave. He started to cry. He heard a sound nearby. He looked up, and saw a woman standing in front of him. She was about thirty years old. She said, "Elder, where did you come from? And why are you tied up?"

"Don't ask me any questions," replied Tangseng tiredly. "If you are hungry, just go ahead and eat me."

"I don't eat people! I come from Precious Image Kingdom, it is three hundred miles west of here. I am the third daughter of the king. Thirteen years ago, the Yellow Robed Monster came to my city, grabbed me, and brought me back here to be his wife. I could not stop him. I have not been able to send a letter to my parents, so they don't know where I am. They probably think I am dead."

"This poor monk is traveling to the Western Heaven to find the Buddha's books and bring them back to the east. I came to this place, and now I think I will be the monster's dinner."

"Dear elder, don't worry. I can ask my husband to let you go. But you must do something for me. Please deliver a letter to my parents when you arrive at their city. Will you do that?"

"Of course," said Tangseng. So the woman untied him. She wrote a letter and gave it to him. Then Tangseng went out the back door of the pagoda and into the forest. He waited there to see if Zhu and Sha would win the fight against the monster.

The woman walked out the front door. She looked up and saw her husband in the sky, fighting Zhu and Sha. She called to him, "Dear husband, I just had a dream."

The monster stopped fighting and came down to the ground. "Tell me," he said.

"I didn't tell you earlier, but when I was a child, I made a secret vow. My vow was that if I found a good husband, I would thank heaven by giving food to hungry monks. Just now in my dream, a golden deity came to me and said that I must do what was in my vow. I woke up and came to tell you about the dream. But as I walked through the house, I saw a monk tied up. Can you let him go? Letting him go would be the same as me feeding him. Will you do that for me?"

"Of course, my dear. Go ahead and let the monk leave." Then the monster called up to Zhu and Sha, "You two, in the sky. Come down here. I will not fight you anymore. You can leave. Go with the monk, and don't come back here again. If I am hungry, I can always find other humans to eat."

Zhu and Sha were very tired from fighting with the monster, so they were happy that the fight had ended without them being killed. They thanked the monster. They quickly found Tangseng in the forest. Then the three of them started walking westward.

Now, my child, you might think this is the end of the

story. But there is more to tell. The three travelers walked west for almost three hundred miles. Then, coming down from the mountains, they saw a beautiful city. It was Precious Image Kingdom. The city was large, with many palaces, temples and farmlands. The travelers were happy to see the city. They arrived at an inn, tied up their horse, and sat down to rest.

Later, after they rested, the Tang monk went to the palace of the king. "This poor monk would like to see the king," he said. "I have an important letter for him." He was taken to the throne room to see the king.

"Your Majesty, this humble monk comes from the Tang Kingdom and is traveling to the Western Heaven. I must tell you that your daughter, the third princess, was taken many years ago by the Yellow Robed Monster. I met her, and she asked me to give you this letter." He gave this letter to the king:

"Your poor daughter kowtows a hundred times to you, my father the King, and to you, my mother the Queen. Thirteen years ago, on the fifteenth day of the eighth month, you gave a great banquet on a summer evening. During the banquet, an evil wind brought the Yellow Robed Monster to our home. He carried me away to his mountain, and made me his wife. I could not fight him. I have been with him for thirteen years, and have given him two monster sons. Recently your poor daughter met this holy Tang monk who was also taken by the monster. I gave him this letter. I beg you to quickly send your generals and your army to capture this monster and bring your daughter back home. Your daughter kowtows again and again."

The king and queen cried when they heard the letter. Afterwards, the king said, "Elder, we have no generals and no army. We have some guards, but no real soldiers. We are a peaceful kingdom here in the mountains. We cannot fight this monster. But you are a powerful monk. Can you help us?"

"This poor monk knows a little bit about Buddhism, but truly, he knows nothing of fighting monsters."

"If you cannot fight, how can you possibly hope to travel to the Western Heaven and back again?"

"Your Majesty, I do have two disciples who protect me. They are called Zhu Bajie and Sha Wujing. They are a little bit ugly. Actually they are very ugly. That is why I did not bring them into your fine palace. They are waiting outside."

"Well, now that you have told us about them, we are ready to meet them. Bring them in!"

Zhu and Sha came into the throne room. "You," said the king to Zhu. "Your master says that you are a great warrior. Show us your power."

Zhu made a magic sign with his finger, and recited a spell. Then he shouted, "Grow!" He became ten times bigger than he was before. Everyone in the throne room was frightened, but the king was very happy. He poured a cup of wine for Zhu, looked up at him, and said, "Elder, this wine is for you. Please capture the monster and bring back our little girl. Then we will have a great banquet. We will thank you, and give you a thousand pieces of gold." Zhu returned to his normal size and drank the wine. The king also gave a cup of wine to Tangseng and Sha Wujing, but of course Tangseng did not drink. Then they all had a vegetarian dinner and went to sleep.

The next day, Zhu and Sha flew on clouds to the cave of the Yellow Robed Monster. Zhu hit the front door as hard as he could, and made a hole in it. One of the little demons ran to the monster and said, "Master, the monk with huge ears and a long nose has returned, and broken our front door!"

The monster was quite angry about the breaking of his front door. He went outside and said, "Monks, I have already let you and your master leave without harm. Why have you returned to my home? And why have you broken my beautiful front door?"

"Yes, you let us go. But we just heard that you captured the king's third daughter and made her your wife. You have kept her for thirteen years. Now the king has asked us to bring her home. Give her to us right now. If you don't, I might have to raise my hand."

The monster laughed at this. He drew his scimitar and tried to kill Zhu. The fight began. Zhu used his rake, shouting, "You harmed the nation and must die!" Sha used his staff, shouting, "You took a princess and brought shame to her country!" And the monster used his scimitar, shouting, "It's none of your business, get out of here!"

They fought for a long time. Zhu and Sha were becoming very tired. Finally Zhu said, "Younger brother, you fight the monster. I have to go into the woods for a few minutes." Zhu ran into the trees and went to sleep. Sha could not fight the monster alone, and soon the monster captured Sha and tied him up.

Now, this monster was very smart. He knew that there was a reason why the two disciples returned to his home to fight him. Their master must have sent them. But for what reason? Then he understood. His wife must have met with the Tang monk and told him her story. He became very angry at his wife, and went to look for her.

"Wife," he said to her, "what have you done? I brought you here and gave you silk and gold. You have my love. Anything you want, I give you. But now you tell the Tang monk stories about me, and make him send his disciples to fight me? Why do you do these things to me?"

"I did nothing!" she cried.

"Oh? Let's see what this one has to say!" And he dragged Sha Wujing into the room. "Now tell us: did the princess give a letter to your master?"

Sha thought to himself, "I cannot cause the princess to be harmed." So he said to the monster, "Sir, there was no letter. When my master was tied up in your house, he saw your beautiful wife. Later, we visited the king of Precious Image Kingdom and my master told him about the woman he had seen. The king knew it was his daughter. So the king commanded us to come back and get her, to bring her home. Your wife did nothing to harm you. If you must kill someone, kill me."

The monster felt really bad, and he said to his wife, "I am sorry I shouted at you. Please forgive me!" He tied up Sha again. Then he sat down and had dinner with his wife. They both drank a lot of wine. Finally the monster said, "My dear, I must go and say hello to my wife's father. I have not met him before. I think it is time."

The princess was worried about this. "Please don't do this. You are my husband but you are also a monster. You will frighten my father if he sees you."

"You are right!" he replied. So he changed his appearance. Now he looked like a tall handsome middle-aged man. He had an attractive face, long black hair, and he wore a white silk robe and black shoes. Then he quickly flew three hundred miles to the palace of the king. He stood outside the gate, knocked on the door, and said, "The husband of the king's third daughter is here to see the king."

He was brought in to see the king. The king was sitting with Tangseng, talking. "I don't know you," said the king. "Who are you, where do you live, and when did you marry our daughter?"

"Let me tell you my story. Thirteen years ago, I was walking with my friends in the forest. I saw a large tiger with a young girl in his mouth. I hit the tiger with an arrow and brought the girl back to my home. My friends brought the tiger back to my home. The girl did not say she was a princess, so I thought she was a girl from the village. We got married. I wanted to kill the tiger to eat it at the wedding, but she told me that the tiger was our go-between and we should let it go. So I let it go. Later I learned that the tiger had become a powerful tiger spirit, killing and eating monks and taking their form. Now I see the tiger right here!" And he pointed his finger straight at Tangseng.

The king did not know if Tangseng a monk or a tiger. So he said to the monster, "If this monk is really a tiger, show me his true form."

"All right. Give me a cup of clean water." A servant brought the water. The monster spat some water on Tangseng and spoke a magic spell that made Tangseng appear to be a tiger. The king's guards all rushed forward to kill the tiger. If they killed the tiger, Tangseng would have also been killed. But Tangseng had the secret protection of the Gods of Light and the Gods of Darkness, so he was not harmed. After a while, the king told them to stop trying to kill the tiger, and they put him in a cage.

The king believed that the monster had shown him Tangseng's true form, and he was grateful. But he was also very tired so he went to bed. Before he went to bed, he ordered food and drink to be brought to the monster by eighteen beautiful serving girls. The monster ate and drank a great deal, and he became drunk. He jumped up, grabbed the nearest serving girl, bit off her head and ate it. The other seventeen girls ran away, but they didn't scream because the king was sleeping. So the monster sat down, drank more wine and ate the rest of the dead serving girl.

People ran out of the palace, and the story quickly was passed from one person to another. Soon the story reached the inn where Tangseng's white horse was tied up. Now, remember that the white horse was really the son of the King of the Western Ocean. Guanyin had ordered him to carry the Tang Monk to the west. The horse knew that he was the only one who could help Tangseng. He changed back into his dragon form, and he ran into the throne room to fight the monster.

The dragon and the monster fought, but the dragon was not strong enough. The monster threw a sword at the dragon, hitting it on the leg. The dragon ran out on three legs. He ran back to the inn, where he changed back into a horse and fell down, asleep.

Now, let's go back to Zhu, who was sleeping in the woods. He had been sleeping for a long time. He did not know that Tangseng was trapped in a cage and Sha Wujing was tied up in the monster's house. He decided to go look for Sha. So he went back to the inn. He did not see Sha, but he saw the white horse on the ground with a hurt leg. "What's going on?" he asked the horse.

And the horse told Zhu the whole story of what happened in the palace.

"Well, that's that," said Zhu. "It's all finished. You should return home to the Western Ocean. I think I will go back to my home in Old Gao Village and see if my wife is still there."

The horse began to cry. "Elder, please don't give up. I know you want to save our master. There is only one person who can help him. You must go to Flower Fruit Mountain and ask Sun Wukong to come and help."

"He will not come. He is still angry with me. He might hit me with his rod and kill me."

"He won't hit you. Go and tell him that our master is thinking about him. When he comes here and sees what happened to our master, he will get angry at the monster, and he will take care of everything!"

"All right, I will try. But if the monkey does not come back, then I will not come back either."

So Zhu flew on a cloud to Flower Fruit Mountain. Looking down, he saw Sun Wukong sitting on a big rock. All around him were thousands of monkeys, shouting "Long live grandfather Great Sage!" Zhu was afraid of Sun Wukong, so he did not walk right up to him. Instead, he sat down in the middle of all the monkeys, with his head down. But Sun Wukong saw him, and said, "Bring that big one to the front!" All the little monkeys pushed Zhu to the front. Zhu kept his head down.

"Who are you?" asked Sun Wukong.

"What, you don't recognize me? You and I have been brothers for several years." And he lifted up his head.

"Ah. My friend Zhu Bajie! Why have you come here? Is your master angry at you too?"

"No, he is not angry. But he is thinking about you."

"Well, let's not worry about him right now. Come, look at my beautiful home!" And Sun Wukong began to walk around the mountain, showing Zhu all the lovely things in Flower Fruit Mountain. Some little monkeys brought fruits for the two brothers to eat.

After a while, Zhu said, "Elder brother, this is a beautiful place. But our master is waiting for us."

"Why should I leave? This place is my home. Leave if you wish, but I will not come with you."

Zhu became angry and started to shout at Sun Wukong. Of course, the Monkey King did not like this. He said, "You fat coolie, why do you scold me?" Then he told his little monkeys to capture Zhu and bring him into Water Curtain Cave. Sun Wukong picked up a whip and prepared to lash Zhu.

"Elder Brother," cried Zhu. "For the sake of our master, for the sake of the great Buddha, please forgive me!"

When Sun Wukong heard the name Buddha, he put down the whip and said, "Brother, I won't whip you right now.

But you must tell me the truth. Where is our master, and what is happening with him?"

So Zhu told Sun Wukong the long story. You know the story, of course: Tangseng, Zhu and Sha arrived at the forest; Zhu went to beg for food, got tired and took a nap; Sha went to look for Zhu; Tangseng was alone and went for a walk; Tangseng found the golden pagoda and the monster; the monster caught Tangseng and wanted to eat him; Zhu and Sha found the pagoda and fought the monster; Tangseng met the princess; the princess asked the monster to let Tangseng go; Tangseng took the princess's letter to the king; the monster changed into a handsome man and visited the king; the monster changed Tangseng into a tiger; the monster got drunk, ate a serving girl and hurt the white horse; and finally the white horse asked Zhu to ask Sun Wukong for help.

Then, Zhu added something new to the story. He said, "Elder Brother, I told the monster about you. I said that you are a great warrior, and that you would come and kill him. But the monster just laughed and said, 'Let him come. I will kill him quickly and easily. I will eat his heart. The monkey's body is small and thin, but I will cut it up, put it in the pan of oil, and eat it for dinner.' "

Well, my child, you know what happened next! Sun Wukong was so angry, he started jumping up and down and waving his rod. Then he said, "I will go right now. I will capture that monster and kill him!"

"Good idea," said Zhu. "You should go and kill that

monster. I will wait here for you. The fruit here is very tasty."

"No. You come with me. I want you to watch this." Then Sun Wukong grabbed Zhu's arm, and together they flew across the ocean to White Tiger Mountain. Sun Wukong looked down and saw the golden pagoda. He said to Zhu, "You wait here in the clouds. I will go down to the pagoda. I know the monster is not home, but I need to pick up something there." Then he jumped down to the ground and picked up the monster's two small children. He also went into the house, found Sha, and told him to come outside. Then he told Zhu and Sha to take the two boys to the king's palace and tell the monster that they had arrived.

So Zhu and Sha went to the king's palace. First, they left the boys in the woods. Then Zhu pounded on the palace door and shouted "Hey, monster! We are two disciples of the Tang monk. We have returned, and we have your two children!" The monster heard this and ran outside. He saw Zhu and Sha but he did not see the children. He did not want to fight Zhu and Sha, because he was still feeling sick from drinking wine and eating the serving girl. So he quickly jumped into the sky and flew back to his cave to see if his boys were there.

While this was happening, Sun Wukong was talking with the princess. He told her that her husband was coming back and would be very angry. He told the princess to go into the forest. Then he changed his appearance so that he looked like the princess. Then he waited.

149

Soon the monster returned. He saw a woman who looked like his wife. She was crying. "Wife, why are you crying?" he asked.

"Oh my dear husband," said Sun Wukong, "this morning that ugly pig returned. He took the other monk, and he took our two children!"

"Don't worry, my dear. I will go and bring back our two boys. And I will kill those monks too."

"I don't think so," said Sun Wukong. He changed his appearance again, back to his true form. "Now, do you know me?"

The monster was surprised to see his beautiful wife turn into an ugly monkey. But he looked more seriously at Sun Wukong. "Actually, I think I do know you."

"Of course you don't know me. I am the eldest disciple of the Tang monk. My name is Sun Wukong, the Lord of Heaven, and I am over five hundred years old. I like to kill monsters. For that reason, my master was unhappy with me, and he told me to leave. But you know the old saying, 'between father and son, no anger remains overnight.' I heard that you planned to harm my master, so I returned. Now, I don't need to kill you. Just put your head down right here. I will hit you once with my rod, and we will call it finished."

Well of course, the monster did not put his head down. He knew Sun Wukong was very powerful. So he called all the other monsters who lived within a hundred miles of his cave, and told them to help him defeat Sun Wukong. Soon Sun Wukong saw monsters in all directions, all wanting to kill him. This made him very happy! He changed his appearance so that he had six arms and three heads, and he used three rods to fight the monsters.

The fight went on for a long time. Finally, Sun Wukong had killed all the monsters except Yellow Robed Monster. To finish the fight, he used the 'stealing peaches under the leaves' method, and smashed his rod down on the monster's head. But the monster did not die. He just disappeared. Sun Wukong was standing alone.

He looked down but did not see any blood. Then he jumped up to a cloud and looked in all four directions, but he could not see the monster. Then he said to himself, "That monster said that he knew me. How could that be? Maybe I met him in heaven five hundred years ago. Maybe he is a spirit from heaven."

He used his cloud somersault to fly up to the South Gate of Heaven, and he walked into the Hall of Light. One of the heavenly masters asked him, "Great sage, why are you here?"

"I was helping the Tang monk go to the Western Heaven. We arrived at the Precious Image Kingdom and had some trouble with a monster. But then I could not find him. I don't think he is a monster from earth. I think he is from here. Have you lost any monsters, spirits or deities?"

The heavenly masters checked to make sure all the heavenly beings were really in heaven. They checked all the mountains gods, the river gods, the sky gods, the sun gods and the moon gods, but everyone was there. Then they checked the twenty eight gods of the constellations . But they could only find twenty seven of them. Kui , the Wolf, was missing. Every god needed to check in every three days. But Kui had missed the last four check ins, including yesterday. Four times three is twelve, and twelve plus one is thirteen.

The heavenly masters went to the palace and told the Jade Emperor that Kui was missing for thirteen days. A day in heaven is equal to a year on earth, so Kui had been on earth for thirteen years. When the Jade Emperor heard this, he called out to Kui. Kui was under a waterfall on earth. When he heard the Emperor calling him, he came to the palace right away. He walked past Sun Wukong, who tried to hit him, but the other gods grabbed his arm first. Kui did not look at Sun Wukong. He continued into the palace and bowed to the Emperor.

"Kui," said the Emperor. "There is so much beauty here in heaven. Why did you go down to earth?"

"Your Majesty," Kui replied, "please forgive me. In your great Incense Hall there was a jade girl in charge of the incense. We fell in love. But we could not be together in Heaven. So she went down to earth and took the form of a girl, born as the third daughter of a king. I also went down to earth and took the form of the Yellow Robed Monster on White Tiger Mountain. I found the princess, we married, and we have lived happily together for the last thirteen years."

The Jade Emperor told him that he could not have his job as a constellation anymore. His new job was to be a lowly fire tender in the house of Laozi. Kui bowed low and left the palace.

Sun Wukong also bowed to the Emperor, turned and left. The Jade Emperor smiled and said to the heavenly masters, "Let us be happy that he left quickly and did not cause any trouble in Heaven."

Sun Wukong returned to earth. He met Zhu and Sha, and together the three of them returned to the king's palace. They met with the king, the queen, and the princess. Sun Wukong told the story of his visit to heaven. He said to the king and queen, "Now you know that your daughter is really an incense girl in the Incense Hall in Heaven. And your daughter has two boys. Now, let's go get our master."

They all went to find the tiger, who was still in his cage. Everyone saw a tiger, but Sun Wukong saw that it really was Tangseng. "Master," he laughed, "usually you are a good monk. Why do you now look like a tiger?" Then he got some water and spat a little bit in the tiger's face. Instantly the tiger changed back to Tangseng.

Tangseng was so happy to see Sun Wukong! He said, "Disciple, you have saved my life again. I hope that we reach the West soon. Then we will return to the East, and I will report your good works to the Tang Emperor."

"Don't mention it," replied Sun Wukong. "Just don't say that spell to me again, and I will be happy enough."

Then the king called for a great vegetarian feast, and there was much eating, drinking, singing, and telling of stories. And the next day, the four travelers and their horse headed westward again.

PROPER NOUNS

These are all the Chinese proper nouns used in this book.

Chinese	Pinyin	English
白虎山	Báihǔ Shān	White Tiger Mountain
光明殿	Guāngmíng Diàn	Hall of Light
光明神	Guāngmíng Shén	Lord of Light
观音	Guānyīn	Guanyin (a name)
黑暗神	Hēi'àn shén	Lord of Darkness
花果山	Huāguǒ shān	Flower Fruit Mountain
筋斗云	Jīn Dǒu Yún	Cloud Somersault
金箍棒	Jīn Gū Bàng	Golden Hoop Rod
奎木狼	Kuí Mùláng	Kui the Wolf
奎星	Kuí xīng	Kui the Star
老子	Lǎozi	Laozi (a name)
龙王	Lóng Wáng	Dragon King
沙悟净	Shā Wùjìng	Sha Wuking (a name, "Sand Seeking Purity")
水帘洞	Shuǐlián Dòng	Water Curtain Cave
孙悟空	Sūn Wùkōng	Sun Wukong (a name, "Ape Seeking the Void")
唐僧	Tángsēng	Tangseng (a name, "Tang Monk")
玉皇大帝	Yùhuáng Dàdì	Yellow Emperor
中国	Zhōngguó	China
猪	Zhū	Zhu (a name, "Pig")
猪八戒	Zhū Bājiè	Zhu Bajie (a name, "Pig of Eight Prohibitions")
猪悟能	Zhū Wùnéng	Zhu Wuneng (a name, "Pig Awaken to Power")

GLOSSARY

These are all the Chinese words (other than proper nouns) used in this book.

A blank in the "First Used" column means that the word is part of our standard 1200 word vocabulary. A number indicates a new word that's not part of the core 1200 words, and which book in the series it is introduced.

Chinese	Pinyin	English	First Used
啊	a	O, ah, what	
爱	ài	love	
爱上	ài shàng	to fall in love	
暗	àn	darkness	7
安静	ānjìng	quietly	
安全	ānquán	safety	
吧	ba	(particle indicating assumption or suggestion)	
拔	bá	to pull	
把	bǎ	(preposition introducing the object of a verb)	
把	bǎ	to bring, to get, to have it done	
把	bǎ	to hold	
把	bǎ	(measure word)	
八	bā	eight	
爸爸	bàba	father	
白	bái	white	
百	bǎi	one hundred	
白天	báitiān	day, daytime	
半	bàn	half	
搬,搬动	bān, bān dòng	to move	
办法	bànfǎ	method	
棒	bàng	rod	
绑	bǎng	to tie up	11
帮, 帮助	bāng, bāngzhù	to help	
半夜	bànyè	midnight	
饱	bǎo	full	
包	bāo	package, to wrap	
抱, 抱住	bào, bào zhù	to hold, to carry	

报仇	bàochóu	revenge	
保护	bǎohù	to protect	
宝石	bǎoshí	gem	
宝塔	bǎotǎ	pagoda	11
包子	bāozi	steamed bun	11
宝座	bǎozuò	throne	
耙子	bàzi	rake	8
被	bèi	(passive particle)	
被	bèi	was being	
倍	bèi	times	9
北	běi	north	
被迫	bèi pò	to be forced	
杯, 杯子	bēi, bēizi	cup	
笨	bèn	stupid	
本	běn	(measure word)	
本, 本来	běn, běnlái	originally	
臂	bì	arm	8
闭	bì	close	
比	bǐ	compared to, than	
笔	bǐ	pen	
闭, 闭上	bì, bì shàng	to shut, to close up	
避, 避开	bì, bìkāi	to avoid	
变	biàn	to change	
边	biān	side	
鞭	biān	whip	10
变出	biàn chū	to create, to generate	
变回	biàn huí	to change back	
变成	biànchéng	to become	
边界	biānjiè	boundary	
别	bié	do not	

别人	biérén	others	
病	bìng	disease	
冰	bīng	ice	
陛下	bìxià	Your Majesty	
必须	bìxū	must, have to	
鼻子	bízi	nose	7
脖子	bózi	neck	9
不	bù	no, not, do not	
簿	bù	ledger book	
不好	bù hǎo	not good	
不会	bú huì	cannot	
不会吧	bú huì ba	no way	
不可能	bù kěnéng	impossible	
不一样	bù yīyàng	different	
不早	bù zǎo	not early	
不久	bùjiǔ	not long ago, soon	
不能	bùnéng	can not	
不是	búshì	no	
不死	bùsǐ	not die (immortal)	
不同	bùtóng	different	
不想	bùxiǎng	do not want to	
不要	búyào	don't want	
不用	búyòng	no need to	
才	cái	only	
菜	cài	dish	
才会	cái huì	will only	
财富	cáifù	wealth	
彩虹	cǎihóng	rainbow	
才能	cáinéng	ability, talent	
猜拳	cāiquán	guess fist (a game)	10

参加	cānjiā	to participate	
蚕丝	cánsī	silk	
草	cǎo	grass	
草地	cǎodì	grassland	
层	céng	(measure word)	
茶	chá	tea	
插	chā	to insert	
叉	chā	fork	
禅	chán	Zen Buddhism	8
长	cháng	long	
唱	chàng	to sing	
场	chǎng	(measure word)	
常常	chángcháng	often	
唱歌	chànggē	singing	
长生	chángshēng	longevity	
长生不老	chángshēng bùlǎo	immortality	
唱着	chàngzhe	singing	
巢	cháo	nest	8
沉	chén	to sink	
乘	chéng	to multiply	11
成	chéng	to make	
城, 城市	chéng, chéngshì	city	
成, 成为	chéng, chéngwéi	to become	
惩罚	chéngfá	punishment	
成绩	chéngjì	achievement	
成熟	chéngshú	ripe	10
丞相	chéngxiàng	prime minister	
称赞	chēngzàn	to flatter	10
尺	chǐ	Chinese foot	
吃, 吃饭	chī, chīfàn	to eat	

吃掉	chīdiào	to eat up	
吃惊	chījīng	to be surprised	9
耻辱	chǐrǔ	shame	11
吃着	chīzhe	eating	
虫子	chóngzi	insect(s)	
仇	chóu	hatred	
丑	chǒu	ugly	
出	chū	out	
船	chuán	boat	
穿	chuān	to wear	
传	chuán	to pass on, transmit	11
穿上	chuān shàng	to put on	
床	chuáng	bed	
窗	chuāng	window	
船工	chuángōng	boatman	
创造	chuàngzào	to create	
穿着	chuānzhuó	wearing	
出城	chūchéng	out of town	
厨房	chúfáng	kitchen	
吹	chuī	to blow	
吹起	chuī qǐ	to blow up	
出来	chūlái	to come out	
除了	chúle	except	
春, 春天	chūn, chūntiān	spring	
出去	chūqù	to go out	
出生	chūshēng	born	
出现	chūxiàn	to appear	
次	cì	next in a sequence	
次	cì	(measure word)	
从	cóng	from	

聪明	cōngmíng	clever	
聪明多了	cōngmíng duōle	smart enough	
从头到脚	cóngtóudàojiǎo	from head to foot	
粗	cū	broad, thick	
寸	cùn	Chinese inch	
村	cūn	village	
错	cuò	wrong	
大	dà	big	
打	dǎ	to hit, to play	
大打	dà dǎ	big fight	
大地	dà dì	the earth	
大喊	dà hǎn	to shout	
打坏	dǎ huài	to hit badly, to bash	
大叫	dà jiào	to shout	
大圣	dà shèng	great saint	
大宴	dà yàn	banquet	
打败	dǎbài	to defeat	
大臣	dàchén	minister, court official	
大帝	dàdì	emperor	
打斗	dǎdòu	fight	
大风	dàfēng	strong wind	
大海	dàhǎi	ocean	
大会	dàhuì	general assembly	
带	dài	band	
带	dài	to carry	
带回	dài huí	to bring back	
带上	dài shàng	bring with	
带走	dài zǒu	to take away	
带，带到	dài, dài dào	to bring	
带路	dàilù	lead the way	

带着	dàizhe	bringing	
戴着	dàizhe	wearing	
大家	dàjiā	everyone	
大将	dàjiàng	general, high ranking officer	
打开	dǎkāi	to open up	
大门	dàmén	front door	
蛋	dàn	egg	
丹	dān	pill or tablet	
但, 但是	dàn, dànshì	but, however	
当	dāng	when	
当然	dāngrán	of course	
担心	dānxīn	to worry	
到	dào	to arrive	
到	dào	to, until	
道	dào	way, path, Daoism	
道	dào	(measure word)	
道	dào	to say	
倒	dǎo	to fall	
刀	dāo	knife	
倒下	dǎo xià	to fall down	
到家	dàojiā	arrive home	
大人	dàrén	adult	
大声	dàshēng	loud	
大师	dàshī	grandmaster	
打算	dǎsuàn	to intend	
大王	dàwáng	king	
大仙	dàxiān	High Immortal	
大字	dàzì	big letters	
地	de	(adverbial particle)	
得	de	(particle after verb)	

的	de	of	
得	dé	(degree or possibility)	
得	dé	(posessive)	
的时侯	de shíhòu	while	
得, 得到	dé, dédào	to get	
的话	dehuà	if	
等, 等着	děng, děng zhe	to wait	
等到	děngdào	to wait until	
灯笼	dēnglóng	lantern	9
等着	děngzhe	to wait for	
地	dì	ground, earth	
帝	dì	emperor	
第	dì	(prefix before a number)	
低	dī	low	
第二	dì èr	second	
第一	dì yī	first	
点	diǎn	point, hour	
店主	diànzhǔ	innkeeper, shopkeeper	
貂鼠	diāo shǔ	mink	8
钓, 钓鱼	diào, diàoyú	to fish	
弟弟	dìdi	younger brother	
地方	dìfāng	local, place	
顶	dǐng	top	
地球	dìqiú	earth	
地上	dìshàng	on the ground	
低头	dītóu	head down	
地狱	dìyù	hell, underworld	
动	dòng	to move	
洞	dòng	cave, hole	
东	dōng	east	

冬天	dōngtiān	winter	
动物	dòngwù	animal	
东西	dōngxi	thing	
都	dōu	all	
读, 读道	dú, dú dào	to read	
段	duàn	(measure word)	
锻炼	duànliàn	to exercise	
对	duì	towards	
对	duì	true, correct	
堆	duī	(measure word), a heap or pile	
对骂	duì mà	to scold each other	
对...来说	duì...lái shuō	to or for someone	
对不起	duìbùqǐ	I am sorry	
对着	duìzhe	toward	
朵	duǒ	(measure word for flowers)	8
多	duō	many	
多长	duō cháng	how long?	
多久	duōjiǔ	how long?	
多么	duōme	how	
多少	duōshǎo	how many?	
读书人	dúshūrén	student, scholar	
读着	dúzhe	reading	
肚子	dùzi	belly	
饿	è	hungry	
二	èr	two	
而是	ér shì	instead	
耳, 耳朵	ěr, ěrduǒ	ear	
而且	érqiě	and	
儿子	érzi	son	

发	fà	hair	
发出	fāchū	to send out	
法官	fǎguān	judge	
发光	fāguāng	glowing	
饭	fàn	rice	
翻	fān	to churn	8
反对	fǎnduì	oppose	
犯法	fànfǎ	criminal	8
放	fàng	to put, to let out	
方	fāng	direction	
放回	fàng huí	to put back	
房, 房间	fáng, fángjiān	room	
房, 房子	fang, fángzi	house	
放弃	fàngqì	to give up, surrender	
放下	fàngxià	to put down	
方向	fāngxiàng	direction	
放心	fàngxīn	rest assured	
方丈	fāngzhàng	abbot	
饭碗	fànwǎn	rice bowl	
发现	fāxiàn	to find	
发着	fāzhe	emitting	
飞	fēi	to fly	
飞到	fēi dào	to fly towards	
非常	fēicháng	very much	
飞过	fēiguò	to fly over	
份	fèn	(measure word)	
分	fēn	minute	
风	fēng	wind	
粉红色	fěnhóngsè	pink	
佛	fó	buddha (title)	

佛语	fó yǔ	"Buddha's verse", the Heart Sutra	8
佛法	fófǎ	Buddha's teachings	
佛祖	fózǔ	Buddhist teacher	
妇人	fù rén	a lady	9
附近	fùjìn	nearby	
斧头	fǔtóu	ax	
干	gān	dry, to dry	10
敢	gǎn	to dare	
感, 感到	gǎn, gǎndào	to feel	
刚	gāng	just	
钢	gāng	steel	
刚才	gāng cái	just a moment ago	
钢做的	gāng zuò de	made of steel	
干净	gānjìng	clean	
感觉	gǎnjué	to feel	
感谢	gǎnxiè	to thank	
高	gāo	tall, high	
告诉	gàosu	to tell	
高兴	gāoxìng	happy	
个	gè	(measure word)	
歌	gē	song	
哥哥	gēge	older brother	
给	gěi	to give	
根	gēn	(measure word)	
根	gēn	root	
跟	gēn	with	
跟	gēn	to follow	
根	gēn	root	
更	gēng	watch (2-hour period)	

更, 更多	gèng, gèng duō	more	
个子	gèzi	height, build (human)	11
宫,宫殿	gong, gōngdiàn	palace	
弓箭	gōngjiàn	bow and arrow	
工人	gōngrén	worker	
公主	gōngzhǔ	princess	11
工作	gōngzuò	work, job	
股	gǔ	(measure word)	
骨	gǔ	bone	9
箍	gū	ring or hoop	
拐杖	guǎizhàng	staff or crutch	
关	guān	to turn off	
棺材	guāncai	coffin	
光	guāng	light	
光明殿	guāng míng diàn	hall of light, the third eye focus in meditation	9
关心	guānxīn	concern	
关于	guānyú	about	
跪	guì	kneel	
贵	guì	expensive	
鬼, 鬼怪	guǐ, guǐguài	ghost	
贵重	guìzhòng	precious	
过	guò	(after verb, indicates past tense)	
过	guò	past, to pass	
果	guǒ	fruit	
国, 国家	guó, guójiā	country	
过来	guòlái	come	
过去	guòqù	to pass by	
果树	guǒshù	fruit tree	
国王	guówáng	king	

锅子	guōzi	pot	
故事	gùshì	story	
还	hái	still, also	
海	hǎi	ocean	
还有	hái yǒu	also have	
海边	hǎibiān	seaside	
害怕	hàipà	afraid	
还是	háishì	still is	
海中	hǎizhōng	in the sea	
孩子	háizi	child	
喊. 喊叫	hǎn, hǎnjiào	to shout	
行	háng	row or line	
喊叫着	hǎnjiàozhe	shouting	
喊着	hǎnzhe	shouting	
好	hǎo	good	
好吧	hǎo ba	ok	
好吃	hào chī	delicious	
好几天	hǎo jǐ tiān	a few days	
好了	hǎo le	all right	
好看	hǎokàn	good looking	
好像	hǎoxiàng	like	
和	hé	and, with	
河	hé	river	
鹤	hè	crane	
喝, 喝着	hē, hēzhe	to drink	
和…比	hé…bǐ	compare wtih	
黑	hēi	black	
嘿	hēi	hey!	11
很	hěn	very	
很多	hěnduō	a lot of	

170

很久	hěnjiǔ	long time	
和平	hépíng	peace	
和尚	héshàng	monk	
喝着	hēzhe	drinking	
红, 红色	hóng, hóngsè	red	
后	hòu	after, back, behind	
猴, 猴子	hóu, hóuzi	monkey	
后来	hòulái	later	
后门	hòumén	back door	
后面	hòumiàn	behind	
护	hù	to take care of	11
画	huà	to paint	
话	huà	word, speak	
化	huà	to melt	10
花	huā	flower	
划掉	huà diào	to cross out	
坏	huài	bad	
怀孕	huáiyùn	pregnant	
画家	huàjiā	painter	
换	huàn	to exchange	
还给	huán gěi	to give back	
黄, 黄色	huáng, huángsè	yellow	
皇帝	huángdì	emperor	
欢迎	huānyíng	welcome	
花园	huāyuán	garden	
回	huí	back	
会	huì	to be able	
会	huì	to meet	
会	huì	will	
慧	huì	intelligent	

挥	huī	to swat	
回到	huí dào	to come back	
回家	huí jiā	to return home	
回答	huídá	to reply	
毁坏	huǐhuài	to smash, to destroy	
回来	huílái	to come back	
回去	huíqù	to go back	
葫芦	húlu	gourd	9
活	huó	to live	
火	huǒ	fire	
或, 或者	huò, huòzhě	or	
火炬	huǒjù	torch	
火盆	huǒpén	brazier	
火焰	huǒyàn	flame	
活着	huózhe	alive	
猢狲	húsūn	ape	
胡子	húzi	moustache	
极	jí	extremely	
几	jǐ	several	
鸡	jī	chicken	
记, 记住	jì, jì zhù	to remember	
加	jiā	plus	
家	jiā	family, home	
件	jiàn	(measure word)	
剑	jiàn	sword	
见, 见面	jiàn, jiànmiàn	to see, to meet	
检查	jiǎnchá	examination	
简单	jiǎndān	simple	
讲	jiǎng	to speak	
讲课	jiǎngkè	lecture	

见过	jiànguò	seen it	
叫	jiào	to call, to yell	
脚	Jiǎo	foot	
脚指	jiǎo zhǐ	toe	
教,教会	jiāo, jiāohuì	to teach	
叫做	jiàozuò	called	
级别	jíbié	level or rank	
继承	jìchéng	to inherit	9
记得	jìdé	to remember	
节	jié	festival	
借	jiè	to borrow	
接	jiē	to meet	
街道	jiēdào	street	
结婚	jiéhūn	to marry	
解决	jiějué	to solve, settle, resolve	
姐妹	jiěmèi	sisters	
节日	jiérì	festival	
介绍	jièshào	Introduction	
结束	jiéshù	end, finish	
几乎	Jīhū	almost	
季节	jìjié	season	
进	jìn	to enter	
紧	jǐn	tight, close	
金钢套	jīn gāng tào	gold steel armlet	
进进出出	jìn jìn chū chū	go in and out	
今晚	jīn wǎn	tonight	
金, 金子	jīn, jīnzi	gold	
筋斗云	jīndǒu yún	cloud somersault	
井	jǐng	well	7
精	jīng	spirit	

经	jīng	through	
经常	jīngcháng	often	
经过	jīngguò	after, through	
经历	jīnglì	experience	
进来	jìnlái	to come in	
今天	jīntiān	today	
金星	jīnxīng	Venus	
就	jiù	just, right now	
旧	jiù	old	
久	jiǔ	long	
九	jiǔ	nine	
酒	jiǔ	wine, liquor	
救	jiù	to save, to rescue	
就会	jiù huì	will be	
就要	jiù yào	about to, going to	
就这样	jiù zhèyàng	that's it, in this way	
酒店	jiǔdiàn	hotel	
就是	jiùshì	just is	
继续	jìxù	to continue	
纪元	jìyuán	era, epoch	
举	jǔ	to lift	
嚼	jué	to chew	
觉得	juédé	to feel	
决定	juédìng	to decide	
觉悟	juéwù	enlightenment	
鞠躬	jūgōng	to bow down	
咀嚼	jǔjué	to chew	
军队	jūnduì	army	
举行	jǔxíng	to hold	
句子	jùzi	sentence	

开	kāi	to open	
开门	kāimén	open the door	
开始	kāishǐ	to start	
开心	kāixīn	happy	
开着	kāizhe	being open	
砍	kǎn	to cut	
看不见	kàn bújiàn	look but can't see	
看, 看着	kàn, kànzhe	to look	
看到	kàndào	to see	
看见	kànjiàn	to see	
看了看	kànlekàn	to take a look	
看起来	kànqǐlái	looks like	
烤	kǎo	to bake	
考试	kǎoshì	examination	
渴	kě	thirsty	
棵	kē	(measure word)	
颗	kē	(measure word)	
可爱	kě'ài	lovely, cute	
可能	kěnéng	maybe	
可怕	kěpà	frightening	
客人	kèrén	guests	
磕头	kētóu	to kowtow	8
可以	kěyǐ	can	
空	kōng	air, void, emptiness	
口	kǒu	(measure word)	
口	kǒu	mouth	
库	kù	warehouse	
哭声	kū shēng	a crying sound	
哭, 哭着	kū, kūzhe	to cry	
块	kuài	(measure word)	

快	kuài	fast	
快乐	kuàilè	happy	
快要	kuàiyào	coming soon	
宽	kuān	width	
盔甲	kuījiǎ	armor	
苦力	kǔlì	coolie, unskilled laborer	8
捆	kǔn	bundle	8
捆住	kǔn zhù	to tie up	
哭着	kūzhe	crying	
拉	lā	to pull down	
来	lái	to come	
来到	lái dào	came	
来说	lái shuō	for example	
来自	láizì	from	
蓝	lán	blue	
狼	láng	wolf	7
栏杆	lángān	railing	
老	lǎo	old	
老虎	lǎohǔ	tiger	
老话	lǎohuà	old saying	
老师	lǎoshī	teacher	
老死	lǎosǐ	die of old age	
了	le	(indicates completion)	
乐	lè	fun	
雷电	léidiàn	lightning	
累	lèi	tired	
雷声	léi shēng	thunder	
冷	lěng	cold	
离	lí	from	
立	lì	stand	

里	lǐ	Chinese mile	
里	lǐ	inside	
连	lián	to connect	
脸	liǎn	face	
连在一起	lián zài yīqǐ	connected together	
亮	liàng	bright	
两	liǎng	two	
练习	liànxí	to exercise	
厉害	lìhài	amazing	
厉害	lìhài	powerful	
离婚	líhūn	divorce	8
离开	líkāi	to go away	
里面	lǐmiàn	inside	
另	lìng	another	
灵魂	línghún	soul	
邻居	línjū	neighbor	
六	liù	six	
柳	liǔ	willow	10
留, 留下	liú, liú xià	to stay	
流, 流向	liú, liúxiàng	to flow	
留下	liúxià	to keep, to leave behind, to remain	
礼物	lǐwù	gift	
龙	lóng	dragon	
龙王	lóngwáng	dragon king	
笼子	lóngzi	cage	11
楼	lóu	floor	
路	lù	road	
鹿	lù	deer	
绿	lǜ	green	

轮	lún	wheel	
路上	lùshàng	on the road	
旅途	lǚtú	journey	
吗	ma	(indicates a question)	
骂	mà	to scold	
马	mǎ	horse	
麻烦	máfan	trouble	
卖	mài	to sell	
买	mǎi	to buy	
妈妈	māma	mother	
慢	màn	slow	
忙	máng	busy	
满意	mǎnyì	satisfy	
猫	māo	cat	
帽, 帽子	mào, màozi	hat	
毛笔	máobǐ	writing brush	
毛发	máofà	hair	
马上	mǎshàng	immediately	
马桶	mǎtǒng	chamber pot	8
没	méi	not	
每	měi	every	
美	měi	handsome, beautiful	
没问题	méi wèntí	no problem	
每一家	měi yījiā	every family	
没关系	méiguānxì	it's ok, no problem	
美好	měihǎo	beautiful	
美丽	měilì	beautiful	
媒人	méirén	matchmaker	8
没事	méishì	nothing, no problem	
每天	měitiān	every day	

没有	méiyǒu	don't have	
没有用	méiyǒu yòng	useless	
们	men	(indicates plural)	
门	mén	door	
梦	mèng	dream	
米	mǐ	rice	
面	miàn	side	
面对面	miànduìmiàn	face to face	
面前	miànqián	in front	
庙	miào	temple	
灭	miè	to put out (a fire)	7
米饭	mǐfàn	cooked rice	
秘密	mìmì	secret	
明	míng	bright	
名, 名字	míng, míngzì	name	
明白	míngbái	to understand	
明天	míngtiān	tomorrow	
墨	mò	ink	
魔, 魔法	mó, mófǎ	magic	˙
魔鬼	móguǐ	devil	
木头	mù tou	wood	
母猪	mǔ zhū	a sow	8
木板	mùbǎn	plank, board	
拿	ná	to take	
那	nà	that	
拿出	ná chū	to take out	
那次	nà cì	that time	
拿到	ná dào	taken	
拿开	ná kāi	to take away	
拿来	ná lái	to bring	

拿起	ná qǐ	to pick up	
拿起来	ná qǐlái	pick up	
那时候	nà shíhòu	at that time	
拿下	ná xià	remove	
拿走	ná zǒu	take away	
哪, 哪儿	nǎ, nǎ'er	where?	
那个	nàgè	that one	
奶奶	nǎinai	grandmother	
那里	nàlǐ	there	
哪里	nǎlǐ	where?	
那么	nàme	so then	
南	nán	south	
男	nán	male	
难	nán	difficult	
南瓜	nánguā	pumpkin	
难过	nánguò	to be sad or sorry	
男孩	nánhái	boy	
男人	nánrén	man	
那些	nàxiē	those	
那样	nàyàng	that way	
拿着	názhe	holding it	
呢	ne	(indicates question)	
那天	nèitiān	that day	
能	néng	can	
你	nǐ	you	
你好	nǐ hǎo	hello	
年	nián	year	
念	niàn	read	
念佛	niànfó	to practice Buddhism	
年纪	niánjì	age	

年龄	niánlíng	age	
年轻	niánqīng	young	
尿	niào	urine	
鸟	niǎo	bird	
您	nín	you (respectful)	
牛	niú	cow	
怒	nù	angry	
女	nǚ	female	
女儿	nǚ'ér	daughter	
噢	Ō	oh?, oh!	11
爬	pá	to climb	
怕	pà	afraid	
拍	pāi	to smack	
拍手	pāishǒu	to clap hands	
牌子	páizi	sign	
胖	pàng	fat	
旁边	pángbiān	next to	
盘子	pánzi	plate	
泡	pào	bubble	
跑	pǎo	to run	
盆	pén	pot	
棚屋	péng wū	hut, shack	
朋友	péngyǒu	friend	
皮	pí	leather, skin	
匹	pǐ	(measure word)	
漂	piāo	to drift	
漂亮	piàoliang	beautiful	
屁股	pìgu	butt, rear end	7
瓶, 瓶子	píng, píngzi	bottle	
瀑布	pùbù	waterfall	

仆人	púrén	servant	
菩萨	púsà	bodhisattva, buddha	
葡萄酒	pútáojiǔ	wine	
普通	pǔtōng	ordinary	
其	qí	its	
棋	qí	chess	
骑	qí	to ride	
气	qì	gas, air, breath	
起	qǐ	from, up	
七	qī	seven	
前	qián	in front	
钱	qián	money	
千	qiān	thousand	
千山万水	qiān shān wàn shuǐ	thousands of miles	
前一天	qián yītiān	the day before	
墙	qiáng	wall	7
强大	qiángdà	powerful	
强盗	qiángdào	bandit	
前面	qiánmiàn	in front	
桥	qiáo	bridge	
起床	qǐchuáng	to get up	
旗杆	qígān	flagpole	
奇怪	qíguài	strange	
起来	qǐlái	(after verb, indicates start of an action)	
起来	qǐlái	to stand up	
亲爱	qīn'ài	dear	
请	qǐng	please	
轻	qīng	lightly	
轻风	qīng fēng	soft breeze	

轻声	qīng shēng	speak softly	
清楚	qīngchǔ	clear	
情况	qíngkuàng	situation	
青蛙	qīngwā	frog	7
请问	qǐngwèn	excuse me	
亲戚	qīnqi	relative(s)	9
其实	qíshí	in fact	
其他	qítā	other	
球	qiú	ball	
秋, 秋天	qiū, qiūtiān	autumn	
旗子	qízi	flag	
妻子	qīzi	wife	
去	qù	to go	
取	qǔ	to take	10
去过	qùguò	have been to	
群	qún	group or cluster	
去年	qùnián	last year	
让	ràng	to let, to cause	
然后	ránhòu	then	
热	rè	hot	
人	rén	person, people	
认出	rèn chū	recognize	
扔	rēng	to throw	
任何	rènhé	any	7
人间	rénjiān	human world	
人们	rénmen	people	
人参	rénshēn	ginseng	10
认识, 认得	rènshì, rènde	to know someone	
认为	rènwéi	to believe	
认真	rènzhēn	serious	

容易	róngyì	easy	
荣誉	róngyù	honor	
肉	ròu	meat	
入	rù	into	
如果	rúguǒ	if, in case	
伞	sǎn	umbrella	8
三	sān	three	
卅	sānshí	thirty (ancient word)	
色	sè	(indicates color)	
僧, 僧人	sēng, sēngrén	monk	
森林	sēnlín	forest	
杀	shā	to kill	
扇	shàn	(measure word for a door)	8
山	shān	mountain	
山脚下	shān jiǎoxià	at the foot of the mountain	
山顶	shāndǐng	mountaintop	
山洞	shāndòng	cave	
上	shàng	on, up	
伤到	shāng dào	to hurt	
上一次	shàng yīcì	last time	
商店	shāngdiàn	store	
伤害	shānghài	to hurt	
上课	shàngkè	go to class	
上面	shàngmiàn	above	
上去	shàngqù	to go up	
上山	shàngshān	up the mountain	
上天	shàngtiān	heaven	
伤心	shāngxīn	sad	
山上	shānshàng	on mountain	
少	shǎo	less	

烧	shāo	to burn	
蛇	shé	snake	
深	shēn	deep	
神, 神仙	shén, shénxiān	spirit, god	
身边	shēnbiān	around	
圣	shèng	sage	
圣僧	shèng sēng	holy monk, Bodhisattva	9
声, 声音	shēng, shēngyīn	sound	
生病	shēngbìng	sick	
生活	shēnghuó	life, to live	
生命	shēngmìng	life	
生气	shēngqì	angry	
圣人	shèngrén	saint, holy sage	
生日	shēngrì	birthday	
圣僧	shèngsēng	senior monk	
生物	shēngwù	animal, creature	
绳子	shéngzi	rope	
什么	shénme	what?	
神奇	shénqí	magic	
身上	shēnshang	on one's body	
身体	shēntǐ	body	
神仙	shénxiān	immortal	
十	shí	ten	
时	shí	time	
是	shì	is, yes	
试	shì	to taste, to try	
诗	shī	poetry	
是不是	shì búshì	is or is not?	
时来时去	shí lái shí qù	come and go	
试试	shì shì	to try	

十万	shí wàn	one hundred thousand	
石箱	shí xiāng	stone box	
是, 是的	shì, shìde	yes	
事, 事情	shì, shìqíng	thing	
石, 石头	shí, shítou	stone	
食, 食物	shí, shíwù	food	
师父	shīfu	master	
诗歌	shīgē	poetry	
时候	shíhòu	time, moment, period	
时间	shíjiān	time, period	
世界	shìjiè	world	
尸体	shītǐ	corpse	
侍卫	shìwèi	guard	
誓愿	shìyuàn	vow	11
狮子	shīzi	lion	10
瘦	shòu	thin	
手	shǒu	hand	
首	shǒu	(measure word)	
手中	shǒu zhōng	in hand	
手帕	shǒupà	handkerchief	8
受伤	shòushāng	injured	
手指	shǒuzhǐ	finger	
束	shù	bundle	
树	shù	tree	
数	shù	to count	10
书	shū	book	
输	shū	to lose	
双	shuāng	(measure word)	
双	shuāng	a pair	
霜	shuāng	frost	

舒服	shūfú	comfortable	
谁	shuí	who	
睡	shuì	to sleep	
水	shuǐ	water	
睡不着	shuì bùzháo	can't sleep	
水果	shuǐguǒ	fruit	
睡觉	shuìjiào	to go to bed	
睡着	shuìzháo	asleep	
睡着	shuìzhe	sleeping	
树林	shùlín	forest	
树木	shùmù	trees	
说	shuō	to say	
说不出话	shuō bu chū huà	speechless	
说完	shuō wán	finish telling	
说, 说话	shuō, shuōhuà	to speak	
说过	shuōguò	said	
舒适	shūshì	comfortable	
四	sì	four	
寺	sì	temple	
死	sǐ	dead	
丝	sī	silk thread	
思	sī	to think	
丝绸	sīchóu	silk sheets	9
死去	sǐqù	die	
死去的	sǐqù de	dead	
四周	sìzhōu	around	
松	sōng	loose	11
送, 送给	sòng, sòng gěi	to give a gift	
素	sù	vegetable	
宿	sù	constellation	11

碎	suì	to break up	8
岁	suì	years of age	
虽然	suīrán	although	
锁	suǒ	to lock	7
所以	suǒyǐ	so, therefore	
所有	suǒyǒu	all	
塔	tǎ	tower	
他	tā	he, him	
她	tā	she, her	
它	tā	it	
抬	tái	to lift	
太	tài	too	
太多	tài duō	too much	
抬头	táitóu	to look up	
太阳	tàiyáng	sunlight	
他们	tāmen	they (male)	
她们	tāmen	they (female)	
谈	tán	to talk	
弹	tán	to bounce	8
糖	táng	sugar	
汤	tāng	soup	
套	tào	armlet, loop	
桃, 桃子	táo, táozi	peach	
逃跑	táopǎo	to escape	
淘气	táoqì	naughty	
特别	tèbié	special	
剃	tì	to shave	
甜	tián	sweet	
舔	tiǎn	to lick	
天	tiān	day, sky	

天法	tiān fǎ	heaven's law	
天地	tiāndì	heaven and earth	
天宫	tiāngōng	palace of heaven	
天气	tiānqì	weather	
天上	tiānshàng	heaven	
天下	tiānxià	under heaven	
条	tiáo	(measure word)	
跳	tiào	to jump	
跳起来	tiào qǐlái	to jump up	
跳入	tiào rù	to jump in	
跳出	tiàochū	to jump out	
跳舞	tiàowǔ	to dance	
跳着	tiàozhe	dancing	
铁	tiě	iron	
铁桥	tiě qiáo	iron bridge	
听	tīng	to listen	
听到	tīng dào	heard	
听说	tīng shuō	it is said that	
同	tóng	same	
铜	tóng	copper	
痛	tòng	pain	
铜水	tóng shuǐ	liquid copper	
痛苦	tòngkǔ	suffering	
同意	tóngyì	to agree	
偷	tōu	steal	11
头	tóu	head	
头发	tóufǎ	hair	
吐	tǔ	to spit out	
土	tǔ	dirt	
徒弟	túdì	apprentice	

土地	tǔdì	land	
土地神	tǔdì shén	local earth spirit	
推	tuī	to push	
拖	tuō	to drag	
脱	tuō	to remove (clothing)	
突然	túrán	suddenly	
外	wài	outside	
外公	wàigōng	maternal grandfather	
外面	wàimiàn	outside	
完	wán	to finish	
玩	wán	to play	
万	wàn	ten thousand	
晚	wǎn	late, night	
碗	wǎn	bowl	
弯	wān	to bend	
晚些时候	wǎn xiē shíhòu	later	
晚安	wǎn'ān	good night	
完成	wánchéng	to complete	
晚春	wǎnchūn	late spring	
弯刀	wāndāo	scimitar, machete	
晚饭	wǎnfàn	dinner	
王	wáng	king	
往	wǎng	to	
网	wǎng	net, network	
忘, 忘记	wàng, wàngjì	to forget	
王后	wánghòu	queen	
晚上	wǎnshàng	evening	
玩着	wánzhe	playing	
为	wèi	for	
位	wèi	(measure word)	

喂	wèi	to feed	
尾巴	wěibā	tail	
未来	wèilái	future	
为了	wèile	in order to	
为什么	wèishénme	why	
危险	wéixiǎn	danger	
问	wèn	to ask	
闻,闻到	wén, wéndào	smell	
文书	wénshū	written document	
问题	wèntí	question, problem	
我	wǒ	I, me	
我的	wǒ de	mine	
我们	wǒmen	we, us	
悟	wù	understanding	
五	wǔ	five	
舞	wǔ	to dance	
无法无天	wúfǎwútiān	lawless	
巫婆	wūpó	witch	7
武器	wǔqì	weapon	
无用	wúyòng	useless	
西	xi	west	
洗	xǐ	to wash	
吸	xī	to suck, to absorb	
溪	xī	stream	
下	xià	down, under	
下棋	xià qí	play chess	
下雨	xià yǔ	rain	
下来	xiàlái	down	
下面	xiàmiàn	underneath	
仙	xiān	immortal, celestial being	

先, 先是	xiān, xiānshi	first	
像	xiàng	like	
像	xiàng	to resemble	
向	xiàng	towards	
想	xiǎng	to want, to miss, to think of	
箱	xiāng	box	
香	xiāng	fragrant (adj), incense (n)	
向下抓	xiàng xià zhuā	to grab downward	
想要	xiǎng yào	to want	
想, 想着	xiǎng, xiǎngzhe	to miss, to think	
乡村	xiāngcūn	rural	
想到	xiǎngdào	to think	
想法	xiǎngfǎ	thought	7
想起	xiǎngqǐ	to recall	
向上	xiàngshàng	upwards	
相信	xiāngxìn	to believe, to trust	
鲜花	xiānhuā	fresh flowers	
仙女	xiānnǚ	fairy, female immortal	
先生	xiānshēng	mister	
现在	xiànzài	just now	
笑	xiào	to laugh	
小	xiǎo	small	
小的时候	xiǎo de shíhòu	when was young	
小名	xiǎo míng	nickname	
小孩	xiǎohái	child	
小河	xiǎohé	small river	
笑了起来	xiàole qǐlái	laughed	
小时	xiǎoshí	hour	
小偷	xiǎotōu	thief	10
小心	xiǎoxīn	to be careful	

笑着	xiàozhe	smiling	
小字	xiǎozì	small print	
夏天	xiàtiān	summer	
下午	xiàwǔ	afternoon	
谢	xiè	to thank	
写	xiě	to write	
些	xiē	some	
鞋, 鞋子	xié, xiézi	shoe	
谢谢	xièxiè	thank you	
写着	xiězhe	written	
喜欢	xǐhuan	to like	
信	xìn	letter	
心	xīn	heart	
新	xīn	new	
新来的	xīn lái de	newcomer	
行	xíng	to travel	
行	xíng	capable	
姓	xìng	surname	
星	xīng	star	
醒, 醒来	xǐng, xǐng lái	to wake up	
幸福	xìngfú	happy	
行李	xínglǐ	baggage	
星期	xīngqí	week	
兴趣	xìngqù	interest	
性子	xìngzi	temper	
心跳	xīntiào	heartbeat	
心愿	xīnyuàn	wish	
熊	xióng	bear	
胸	xiōng	chest	
兄弟	xiōngdì	brother	

绣	xiù	embroidered	
休息	xiūxí	to rest	
袖子	xiùzi	sleeve	10
希望	xīwàng	to hope	
洗澡	xǐzǎo	to bathe	
选	xuǎn	to select	
悬崖	xuányá	cliff	8
许多	xǔduō	many	
雪	xuě	snow	
血	xuè, xuě	blood	
学, 学习	xué, xuéxí	to learn	
学会	xuéhuì	to learn	
学生	xuéshēng	student	
学校	xuéxiào	school	
学着	xuézhe	learning	
需要	xūyào	to need	
牙	yá	tooth	
沿	yán	along	
烟	yān	smoke	7
羊	yáng	sheep	
阳	yáng	masculine principle in Taoism	9
养	yǎng	to support	
养育	yǎngyù	nurture	
样子	yàngzi	to look like, appearance	
宴会	yànhuì	banquet	
眼睛	yǎnjīng	eye(s)	
颜色	yánsè	color	
药	yào	medicine	
要	yào	to want	

咬	yǎo	to bite, to sting	
腰	yāo	waist, small of back	
妖仙	yāo xiān	immortal demon	
要饭	yàofàn	to beg	
妖怪	yāoguài	monster	
要求	yāoqiú	to request	
钥匙	yàoshi	key	8
叶	yè	leaf	
夜	yè	night	
页	yè	page	
也	yě	also	
夜里	yèlǐ	at night	
也是	yěshì	also too	
爷爷	yéyé	paternal grandfather	
一	yī	one	
一百多种	yī bǎi duō zhǒng	hundreds of kinds	
一开始	yī kāishǐ	at the beginning	
一下	yí xià	a short, quick action	
衣, 衣服	yī, yīfu	clothes	
一百多年	yībǎi duō nián	a century or so	
一般	yībān	commonly	
一边	yìbiān	on the side	
一次	yīcì	once	
一点, 一点儿	yīdiǎn, yī diǎn er	a little	
一定	yīdìng	for sure	
一共	yígòng	altogether	
以后	yǐhòu	after	
一会儿	yīhuǐ'er	for a little while	
已经	yǐjīng	already	

一块	yíkuài	piece	
一路	yílù	throughout a journey	
一面	yímiàn	one side	
银	yín	silver	
阴	yīn	feminine principle in Taoism	9
赢	yíng	to win	
硬	yìng	hard	10
鹰	yīng	hawk	
应该	yīnggāi	should	
隐士	yǐnshì	hermit	
因为	yīnwèi	because	
音乐	yīnyuè	music	
一起	yīqǐ	together	
以前	yǐqián	before	
一生	yīshēng	lifetime	
医生	yīshēng	doctor	
意思	yìsi	meaning	
一天	yītiān	one day	
一下	yíxià	a little bit	
一些	yīxiē	some	
一样	yīyàng	same	
一直	yīzhí	always	
椅子	yǐzi	chair	
用	yòng	to use	
油	yóu	oil	
游	yóu	to swim, to tour	
又	yòu	also	
右	yòu	right	
有	yǒu	to have	
忧	yōu	worry	

有没有	yǒu méiyǒu	have or don't have	
又是	yòu shì	again	
有一天	yǒu yītiān	one day	
游走	yóu zǒu	to walk around	
有点	yǒudiǎn	a little bit	
游过	yóuguò	to swim across/through	
友好	yǒuhǎo	friendly	
有力	yǒulì	powerful	
有名	yǒumíng	famous	
有人	yǒurén	someone	
有事	yǒushì	has something	
游戏	yóuxì	game	
有些	yǒuxiē	some	
有意思	yǒuyìsi	Interesting	
游泳	yóuyǒng	swim	
有用	yǒuyòng	useful	
鱼	yú	fish	
语	yǔ	language	
雨	yǔ	rain	
园	yuán	garden	
远	yuǎn	far	
园工	yuán gōng	garden worker	
原谅	yuánliàng	to forgive	
愿意	yuànyì	willing	
遇, 遇到	yùdào	encounter, meet	
越	yuè	more	
月, 月亮	yuè, yuèliàng	moon	
月光	yuèguāng	moonlight	
愉快	yúkuài	happy	
云	yún	cloud	

运气	yùnqì	luck	8
欲望	yùwàng	desire	9
再	zài	again	
在	zài	in, at	
再一次	zài yícì	one more time	
再次	zàicì	once again	
再见	zàijiàn	goodbye	
脏	zāng	dirty	
造	zào	to make	
早	zǎo	early	
早饭	zǎofàn	breakfast	
早上	zǎoshàng	morning	
怎么	zěnme	how	
怎么办	zěnme bàn	how to do	
怎么样	zěnme yàng	how about it?	
怎么了	zěnmele	what happened	
怎样	zěnyàng	how	
眨	zhǎ	to blink	
摘	zhāi	to pick	
站	zhàn	to stand	
战斗	zhàndòu	to fight	
长	zhǎng	grow	
张	zhāng	(measure word)	
长大	zhǎng dà	to grow up	
张开	zhāng kāi	open	
丈夫	zhàngfū	husband	
战士	zhànshì	warrior	11
站住	zhànzhù	stop	
照	zhào	according to	
找	zhǎo	to search for	

找不到	zhǎo bú dào	search but can't find	
找到	zhǎodào	found	
照顾	zhàogù	to take care of	
找过	zhǎoguò	have looked for	
着	zhe	(aspect particle)	
着	zhe	with	
这	zhè	this	
这次	zhè cì	this time	
这是	zhè shì	this is	
这位	zhè wèi	this one	
这一次	zhè yīcì	this time	
这儿	zhè'er	here	
这个	zhège	this one	
这里	zhèlǐ	here	
这么	zhème	such	
阵	zhèn	(measure word)	
枕	zhěn	pillow	
针	zhēn	needle	
真, 真的	zhēn, zhēn de	really!	
正, 正在	zhèng, zhèngzài	(-ing)	
正好	zhènghǎo	just right	
针灸师	zhēnjiǔ shī	acupuncturist	
真相	zhēnxiàng	the truth	
珍珠	zhēnzhū	pearl	
这些	zhèxiē	these	
这样	zhèyàng	such	
直	zhí	straight	
只	zhǐ	only	
指	zhǐ	to point	
纸	zhǐ	paper	

支	zhī	(measure word)	
枝	zhī	branch	
只能	zhǐ néng	can only	
智, 智慧	zhì, zhìhuì	wisdom	
直到	zhídào	until	
知道	zhīdào	to know something	
只是	zhǐshì	just	
只要	zhǐyào	as long as	
只有	zhǐyǒu	only	
侄子	zhízi	nephew	
重	zhòng	heavy	
众	zhòng	(measure word)	
种	zhǒng	(measure word)	
种	zhǒng	species	
中	zhōng	in	
种地	zhòng dì	farming	9
中国	zhōngguó	China	
中间	zhōngjiān	middle	
重要	zhòngyào	important	
终于	zhōngyú	at last	
洲	zhōu	continent	
州长	zhōuzhǎng	governor	
住	zhù	to live	
柱	zhù	pillar	10
主	zhǔ	lord	
住在	zhù zài	to live at	
抓起来	zhuā qǐlái	catch up	
抓, 抓住	zhuā, zhuā zhù	to arrest, to grab	
幢	zhuàng	(measure word)	
幢	zhuàng	(measure word)	

状元	zhuàngyuán	champion, first place winner	
转身	zhuǎnshēn	turned around	
爪子	zhuǎzi	claws	7
准备	zhǔnbèi	ready, prepare	
桌, 桌子	zhuō, zhuōzi	table	
主人	zhǔrén	host, master	
注意	zhùyì	pay attention to	
主意	zhǔyì	idea	
字	zì	written character	
紫	zǐ	purple	
字牌	zì pái	a sign with words	
自己	zìjǐ	oneself	
自己的	zìjǐ de	my own	
总是	zǒng shì	always	
走	zǒu	to go, to walk	
走错	zǒu cuò	to walk the wrong way	
走近	zǒu jìn	to approach	
走开	zǒu kāi	go away	
走出	zǒuchū	to go out	
走动	zǒudòng	to walk around	
走路	zǒulù	to walk down a road	
走向	zǒuxiàng	to walk to	
钻石	zuànshí	diamond	
最	zuì	the most, the best	
醉	zuì	drunk	
嘴	zuǐ	mouth	
最后	zuìhòu	at last, final	
最近	zuìjìn	recently	
座	zuò	(measure word)	
坐	zuò	to sit	

做	zuò	to do	
左	zuǒ	left	
做得对	zuò dé duì	did it right	
昨天	zuótiān	yesterday	
左右	zuǒyòu	approximately	
祖师	zǔshī	founder, great teacher	
阻止	zǔzhǐ	to stop	9

ABOUT THE AUTHORS

 Jeff Pepper (author) is President and CEO of Imagin8 Press. Over his thirty-five year career he has founded and led several successful computer software firms, including one that became a publicly traded company. He's authored two software related books and was awarded three U.S. software patents.

 Dr. Xiao Hui Wang (translator), has an M.S. in Information Science, an M.D. in Medicine, a Ph.D. in Neurobiology and Neuroscience, and 25 years experience in academic and clinical research. She has taught Chinese for over 10 years and has extensive experience in translating Chinese to English and English to Chinese.

Printed in Great Britain
by Amazon

62335950R00119